Suguru 5x5 Rätselbuch

200 schwere Logikrätsel für Fortgeschrittene - mit Lösungen

Dieses Buch gehört:

....

Suguru ist ein Logikrätsel mit Zahlen. Ziel ist es, jedes leere Feld so auszufüllen, dass am Ende alle Regeln erfüllt sind. Rechnen muss man dabei nicht – es geht nur um logisches Denken, genaues Hinsehen und Ausschließen.

Ein Suguru-Rätsel besteht aus einem 5×5-Gitter mit insgesamt 25 Feldern. Das Gitter ist in mehrere unterschiedlich geformte Bereiche unterteilt. Diese Bereiche erkennt man an den dickeren Linien.

Die Regeln

Jeder Bereich enthält genau die Zahlen, die zu seiner Größe passen:

- Ein Bereich mit 2 Feldern enthält die Zahlen 1 und 2.
- Ein Bereich mit 3 Feldern enthält die Zahlen 1, 2 und 3.
- Ein Bereich mit 4 Feldern enthält die Zahlen 1, 2, 3 und 4.
- Ein Bereich mit 5 Feldern enthält die Zahlen 1, 2, 3, 4 und 5.

Jede Zahl darf in einem Bereich nur einmal vorkommen.

Zusätzlich gilt: Gleiche Zahlen dürfen sich niemals berühren. Das gilt waagerecht, senkrecht und auch diagonal. Eine 3 darf also keine andere 3 direkt neben sich, über sich, unter sich oder schräg daneben haben.

So wird gelöst

Beginnen Sie mit den vorgegebenen Zahlen. Prüfen Sie dann jeden Bereich einzeln: Welche Zahlen fehlen dort noch? Danach schauen Sie auf die Nachbarfelder. Wenn eine Zahl in der Nähe bereits vorhanden ist, darf sie an bestimmten Stellen nicht mehr eingesetzt werden.

Schritt für Schritt lassen sich so immer mehr Felder sicher bestimmen. Manchmal hilft es, mögliche Zahlen klein am Rand eines Feldes zu notieren und später wieder zu streichen.

Wichtig

Jedes Rätsel hat nur eine richtige Lösung. Es ist nicht nötig zu raten. Mit Geduld, Konzentration und logischem Ausschluss lässt sich jedes Suguru lösen.

Viel Spaß beim Knobeln!

Rätsel 1

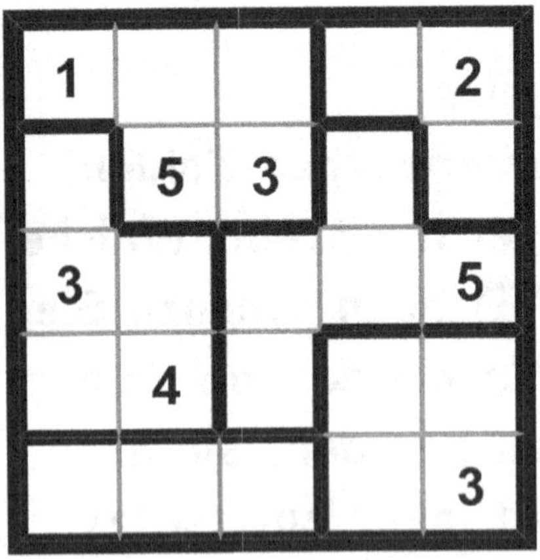

Rätsel 2

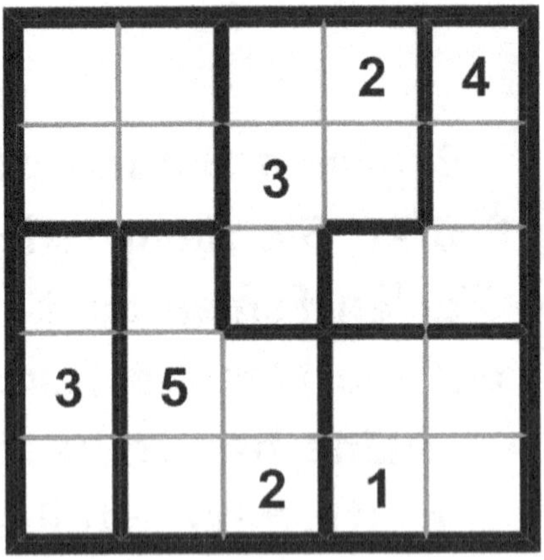

Rätsel 3

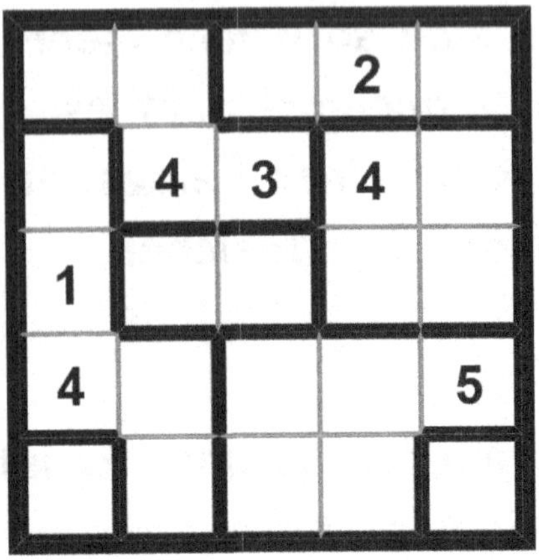

Rätsel 4

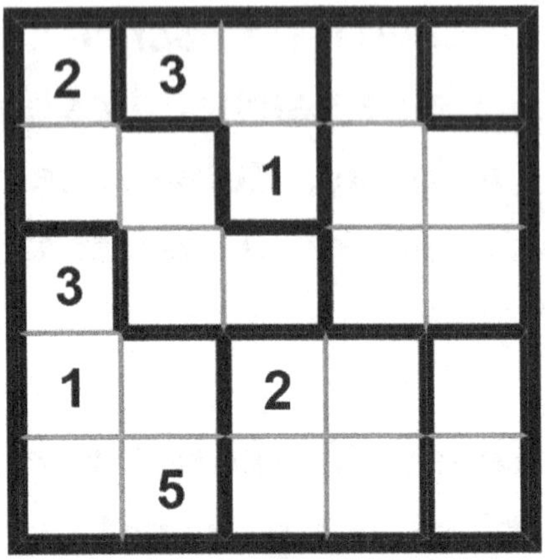

Rätsel 5

Rätsel 6

Rätsel 7

Rätsel 8

Rätsel 9

Rätsel 10

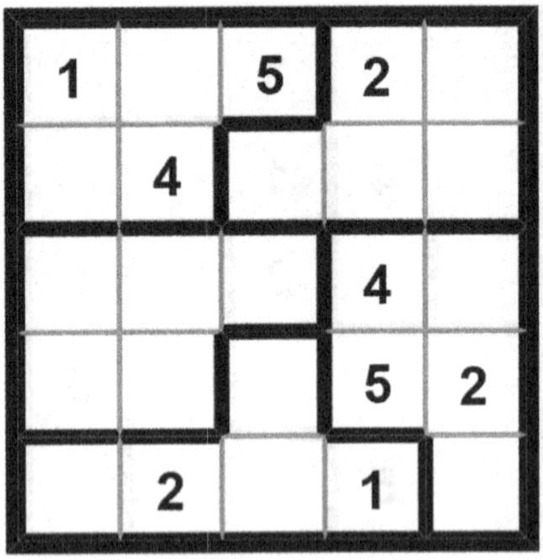

Rätsel 11

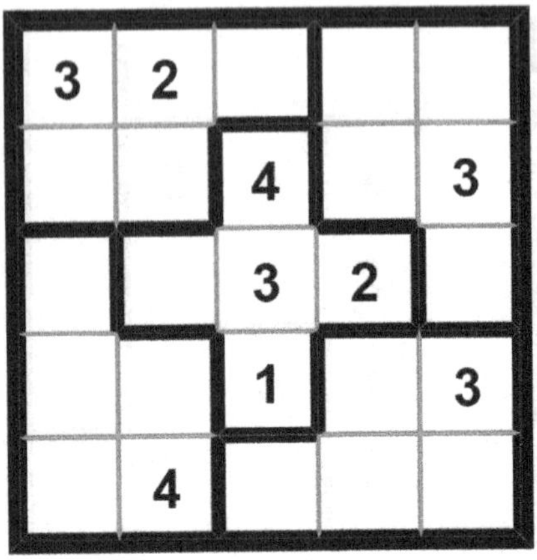

Rätsel 12

Rätsel 13

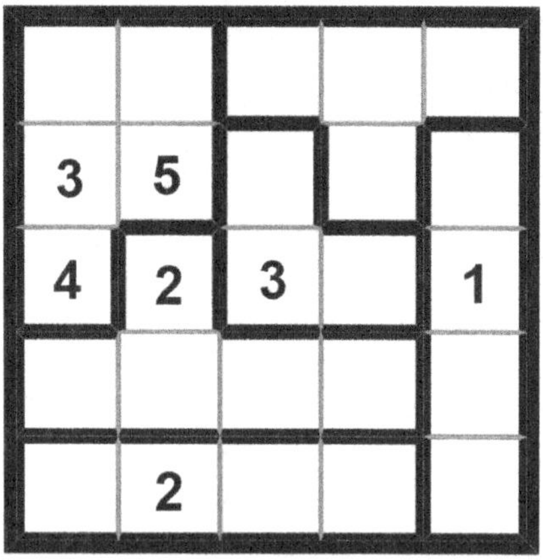

Rätsel 14

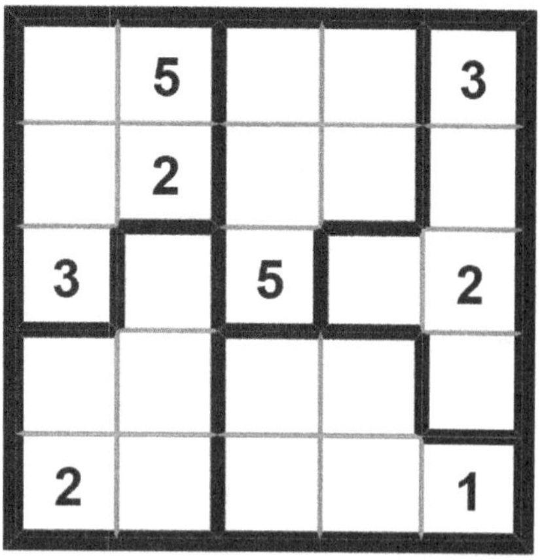

Rätsel 15

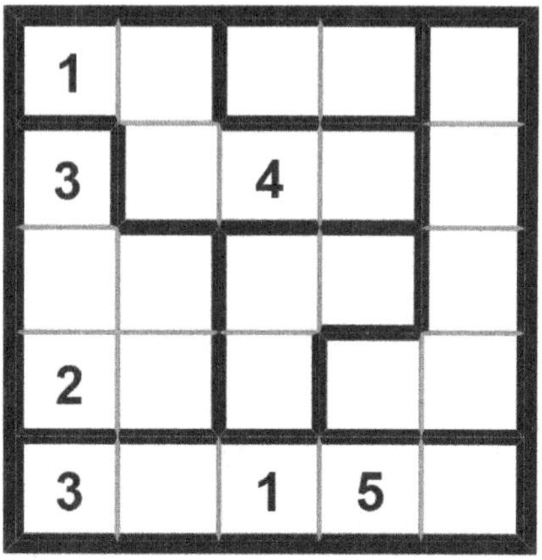

Rätsel 16

Rätsel 17

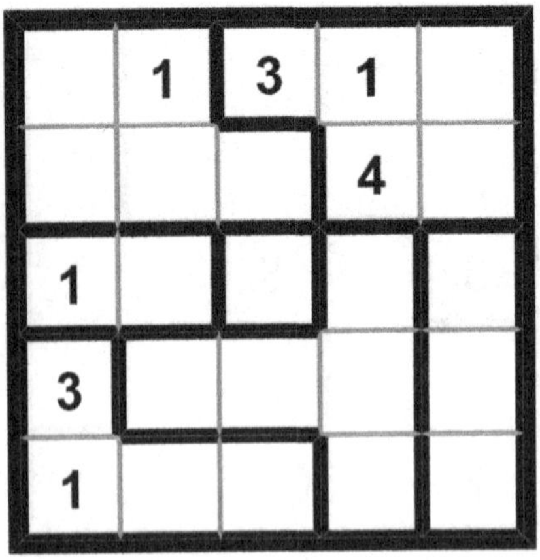

Rätsel 18

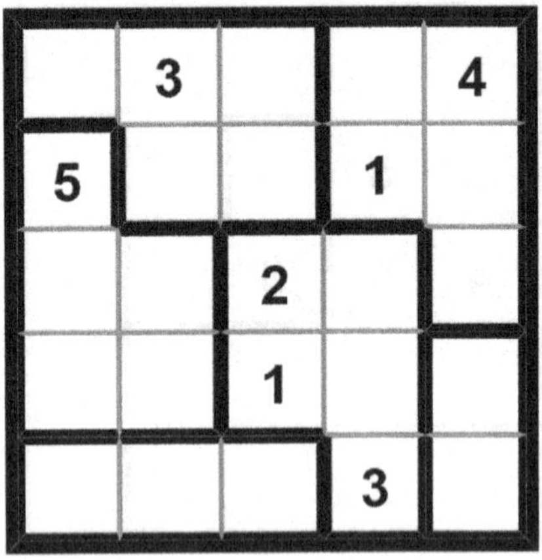

Rätsel 19

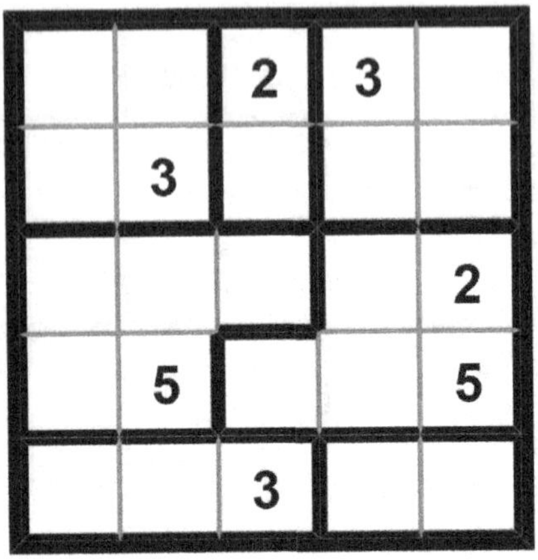

Rätsel 20

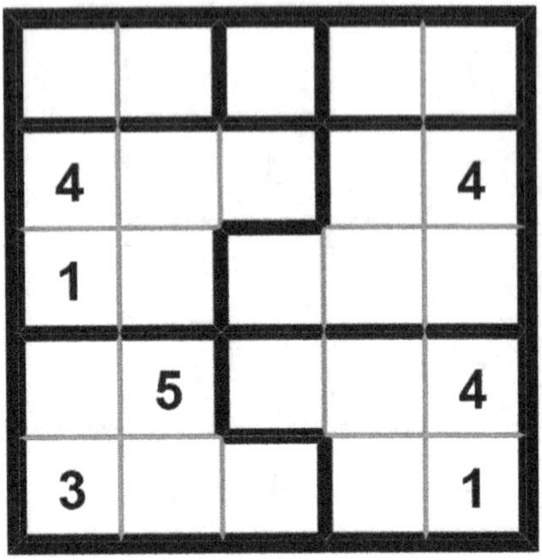

Rätsel 21

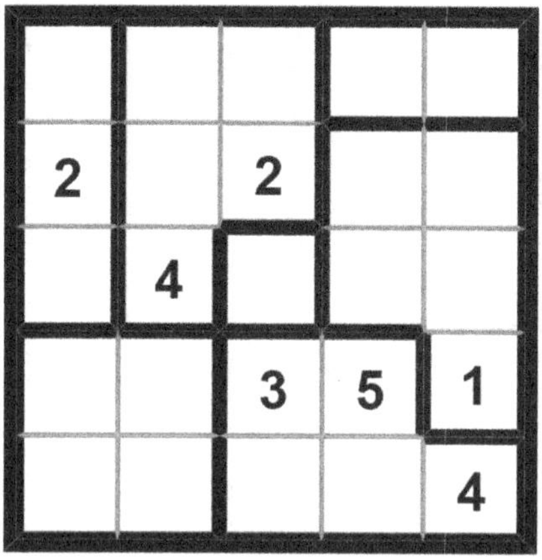

Rätsel 22

Rätsel 23

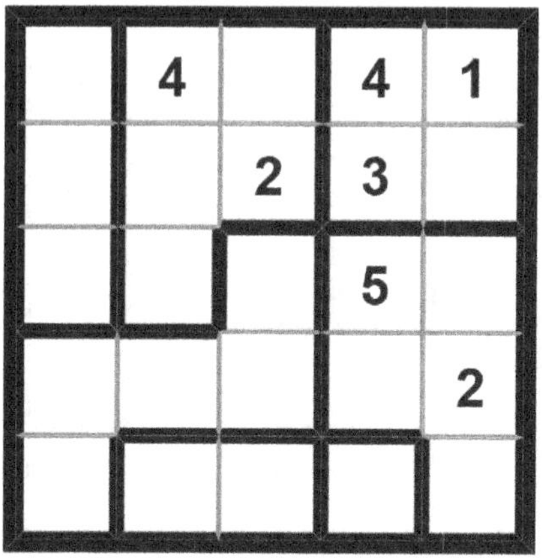

Rätsel 24

Rätsel 25

Rätsel 26

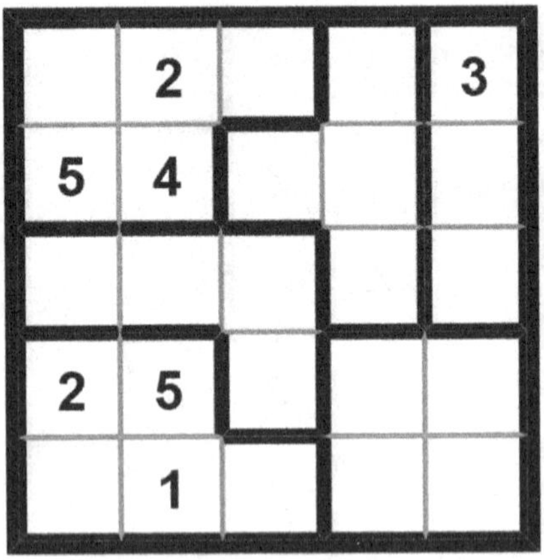

Rätsel 27

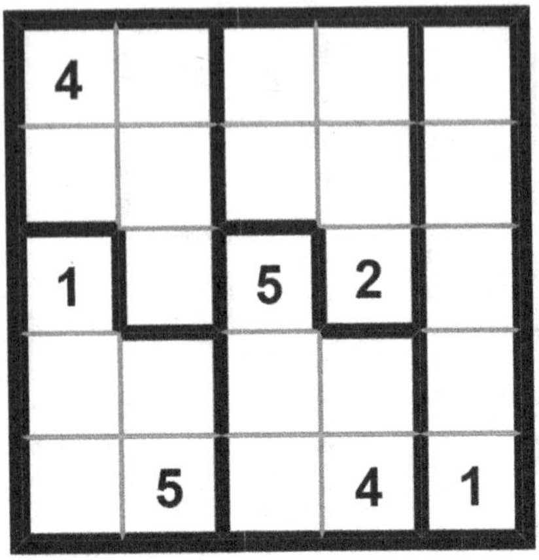

Rätsel 28

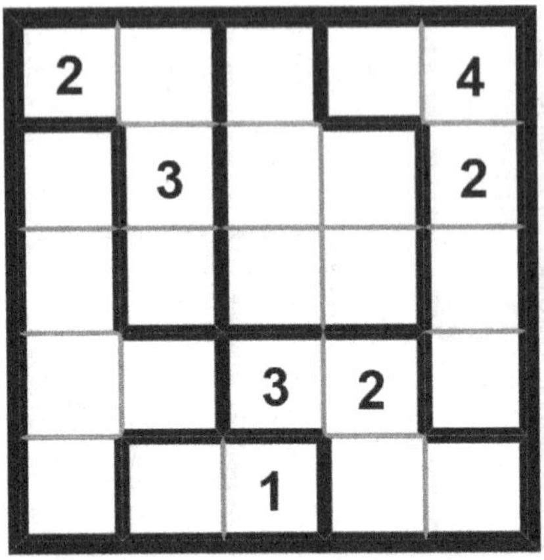

Rätsel 29

Rätsel 30

Rätsel 31

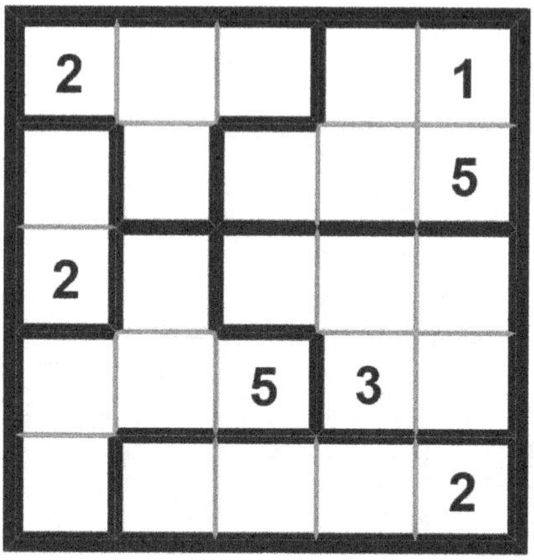

Rätsel 32

Rätsel 33

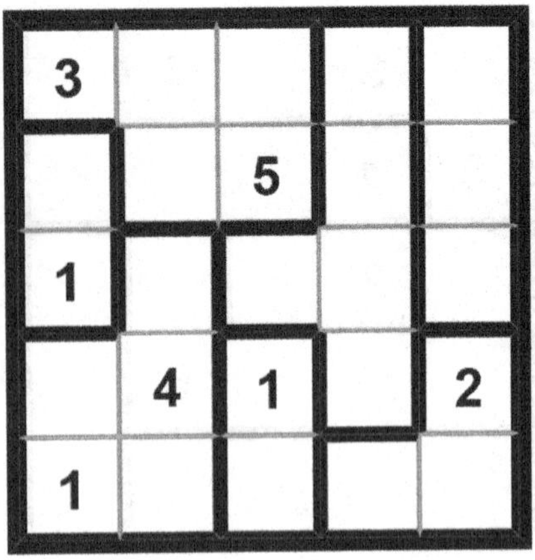

Rätsel 34

Rätsel 35

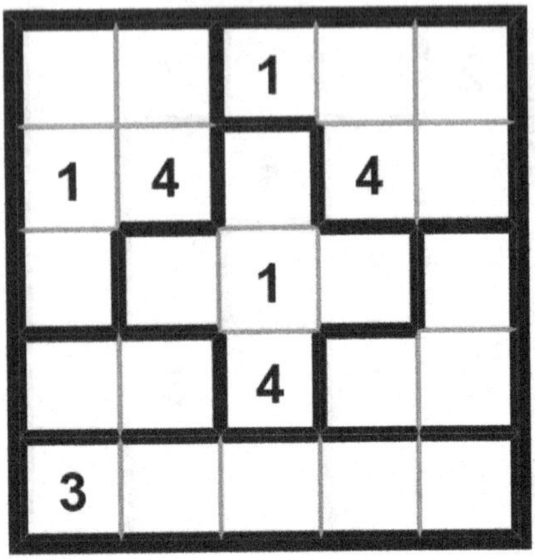

Rätsel 36

Rätsel 37

Rätsel 38

Rätsel 39

Rätsel 40

Rätsel 41

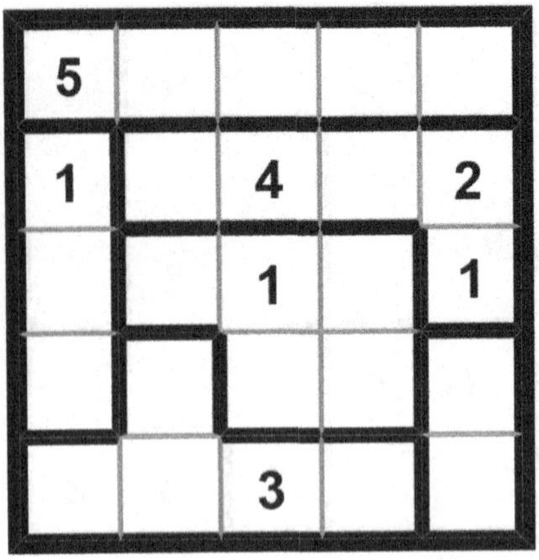

Rätsel 42

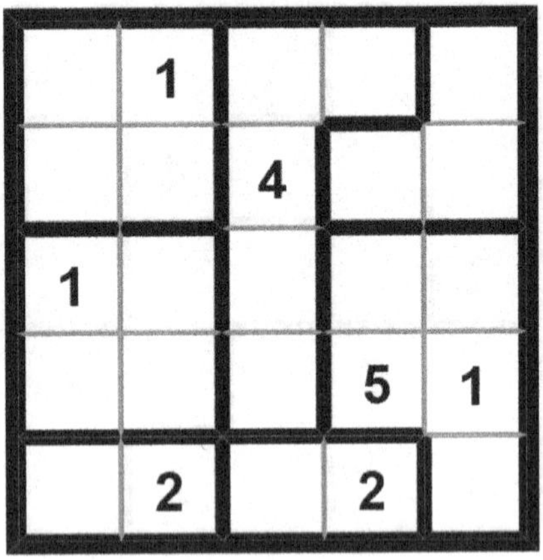

Rätsel 43

Rätsel 44

Rätsel 45

Rätsel 46

Rätsel 47

Rätsel 48

Rätsel 49

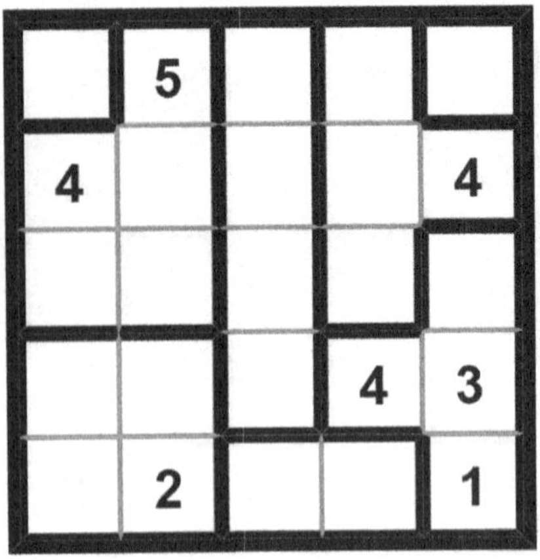

Rätsel 50

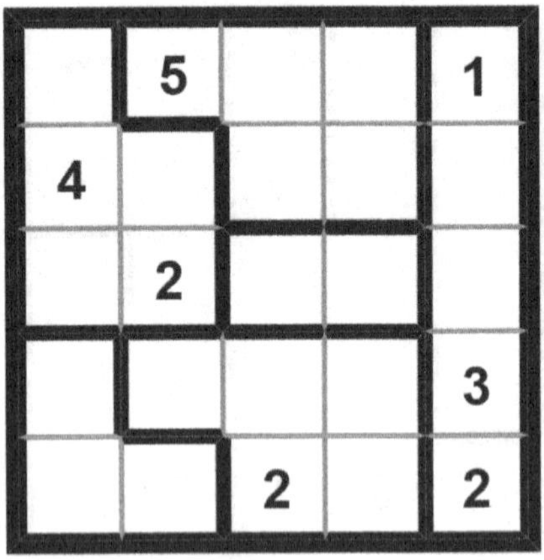

Rätsel 51

Rätsel 52

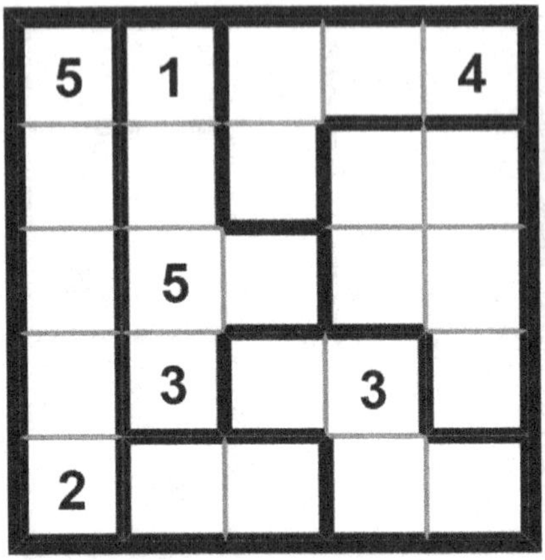

Rätsel 53

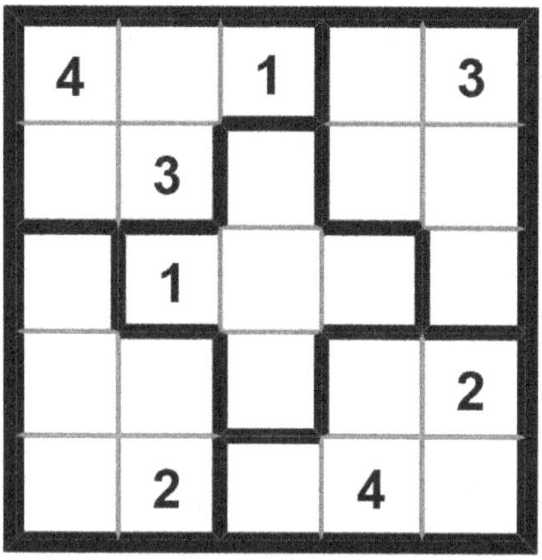

Rätsel 54

Rätsel 55

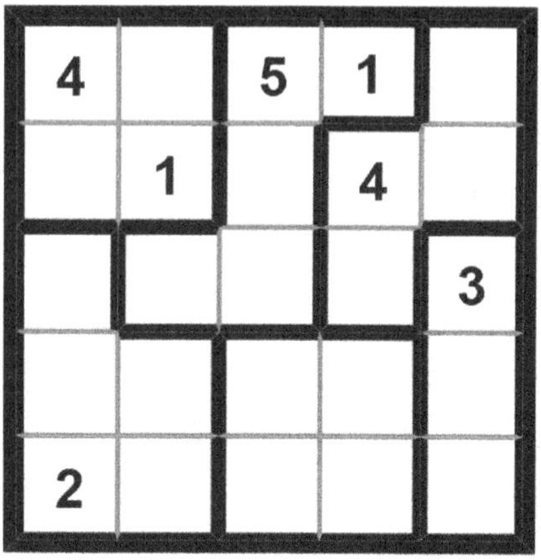

Rätsel 56

Rätsel 57

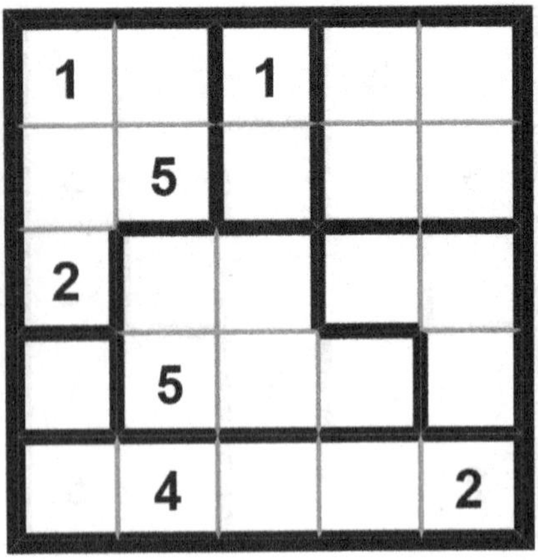

Rätsel 58

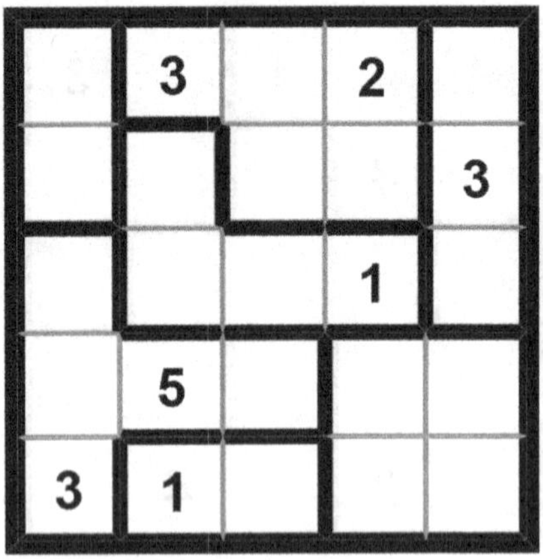

Rätsel 59

Rätsel 60

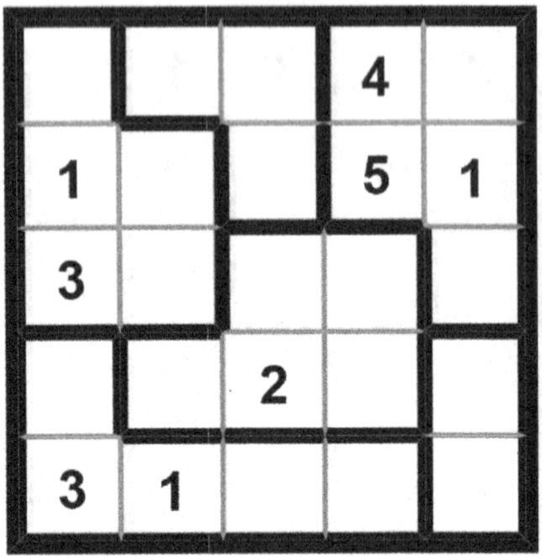

Rätsel 61

Rätsel 62

Rätsel 63

Rätsel 64

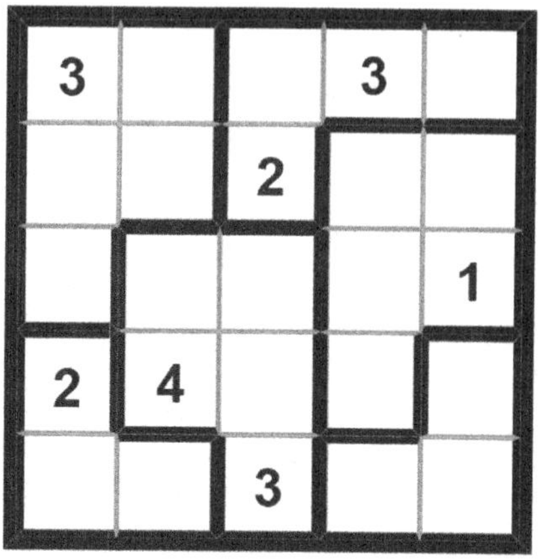

Rätsel 65

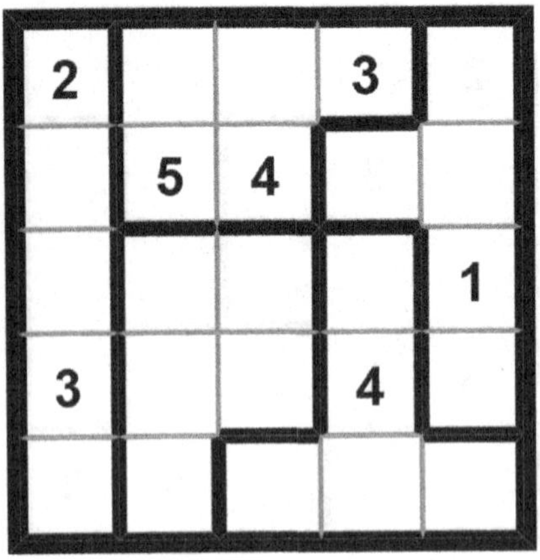

Rätsel 66

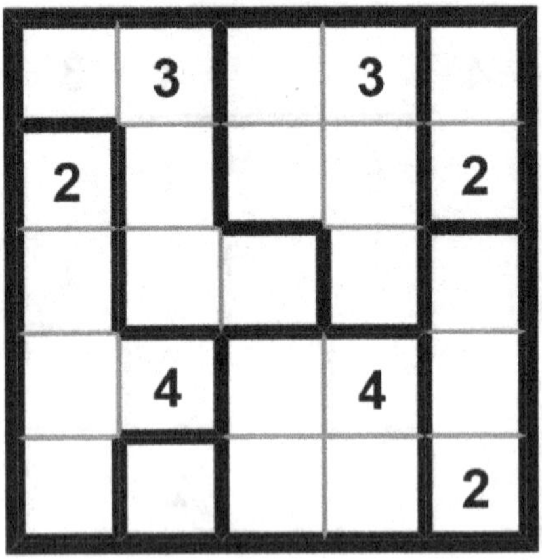

Rätsel 67

Rätsel 68

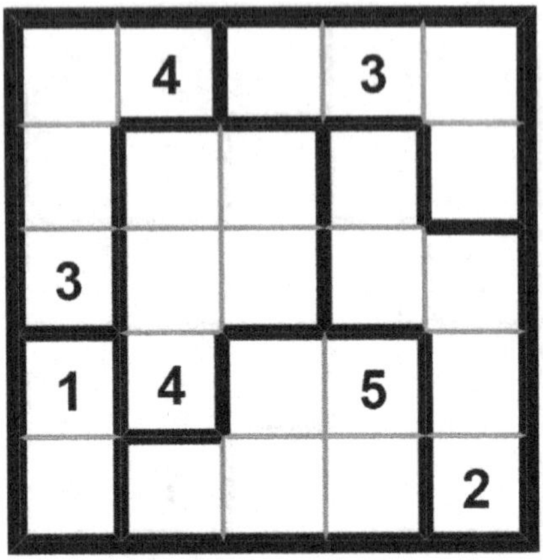

Rätsel 69

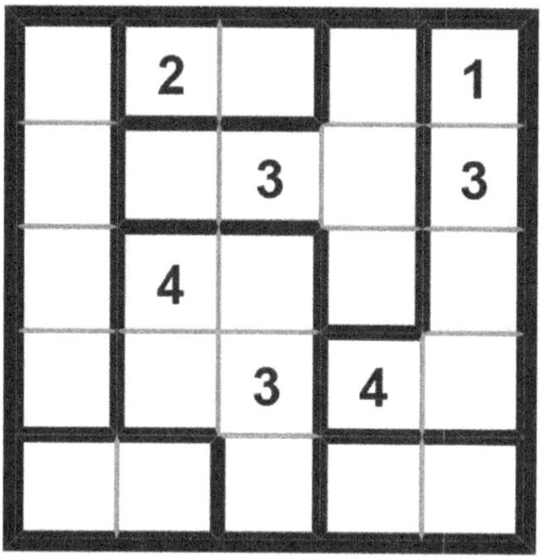

Rätsel 70

Rätsel 71

Rätsel 72

Rätsel 73

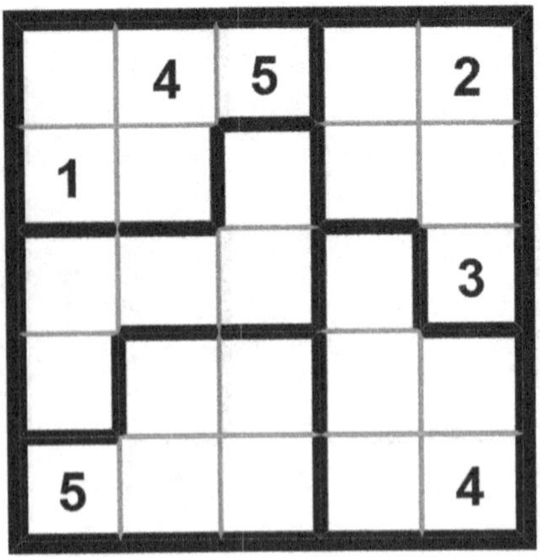

Rätsel 74

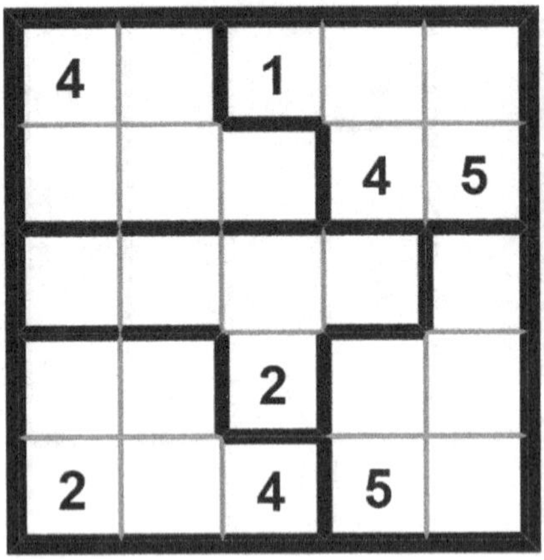

Rätsel 75

Rätsel 76

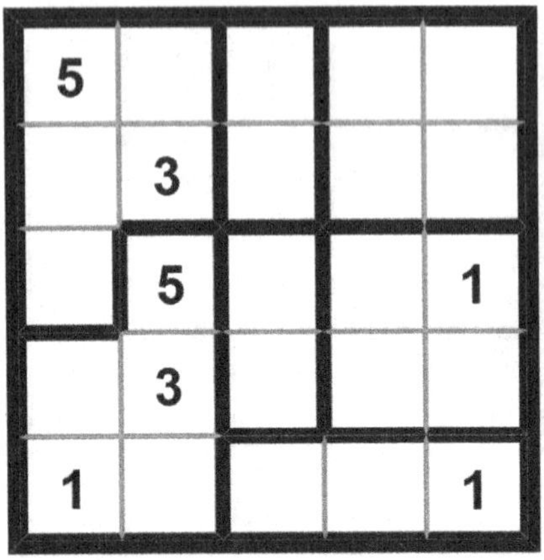

Rätsel 77

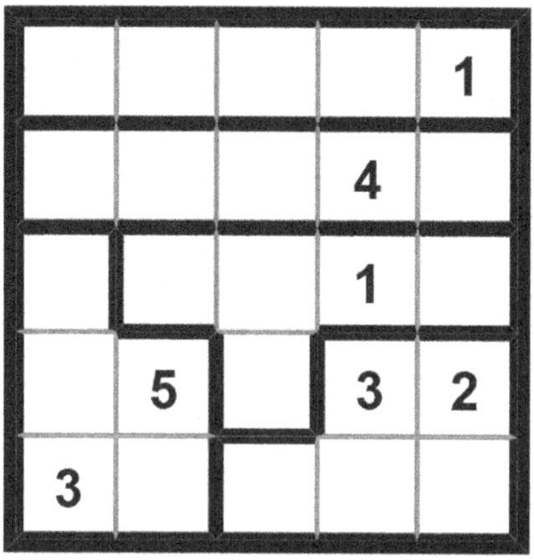

Rätsel 78

Rätsel 79

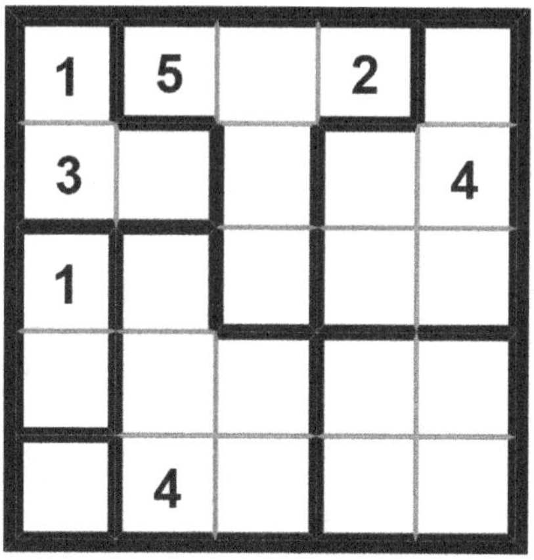

Rätsel 80

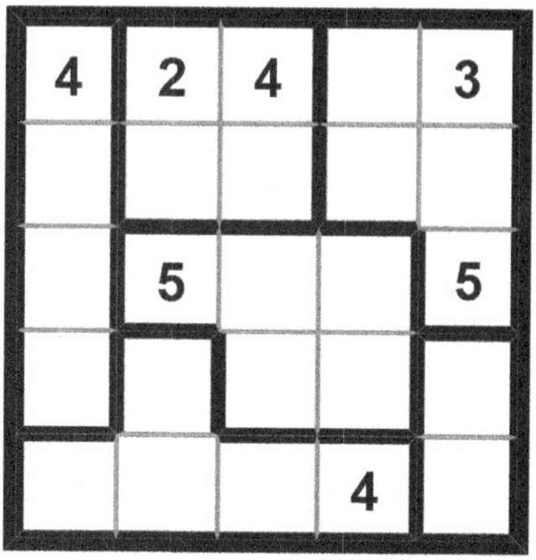

Rätsel 81

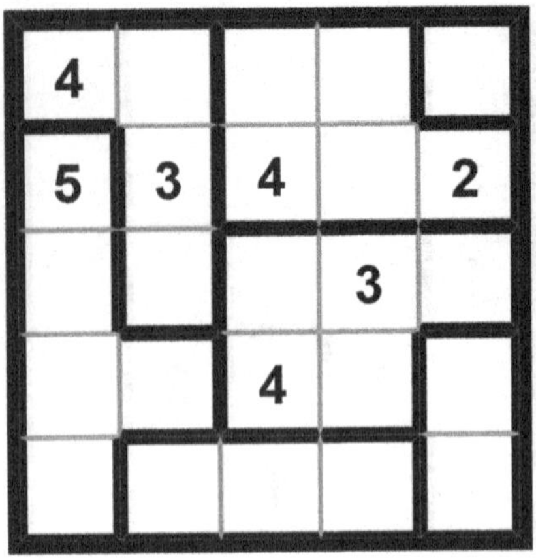

Rätsel 82

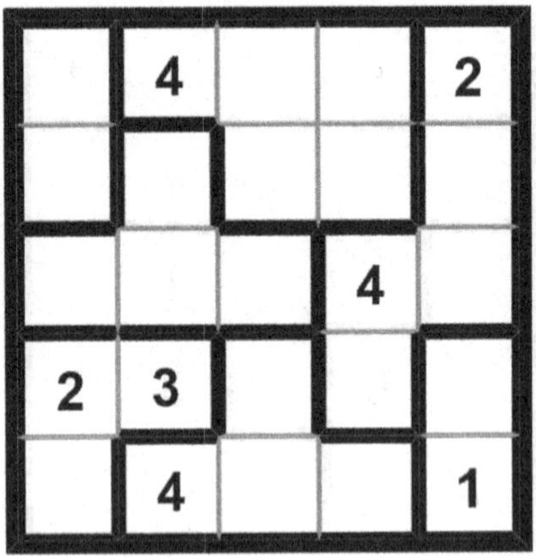

Rätsel 83

Rätsel 84

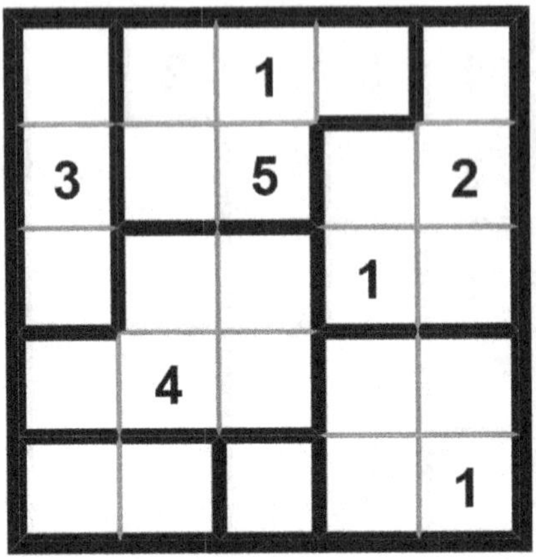

Rätsel 85

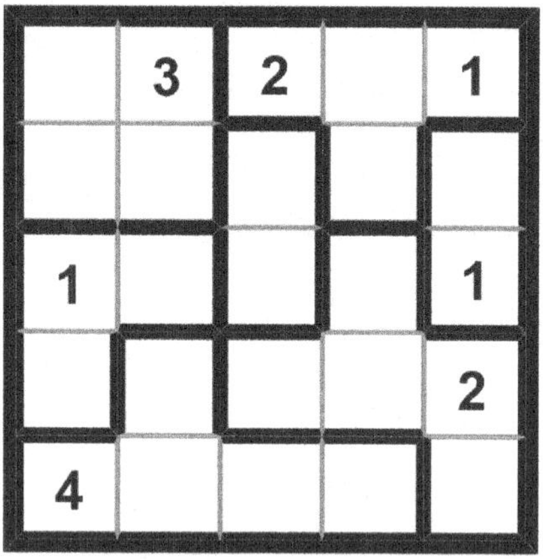

Rätsel 86

Rätsel 87

Rätsel 88

Rätsel 89

Rätsel 90

Rätsel 91

Rätsel 92

Rätsel 93

Rätsel 94

Rätsel 95

Rätsel 96

Rätsel 97

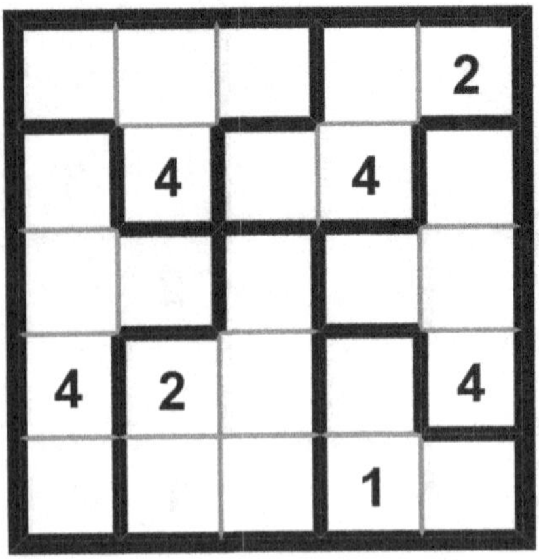

Rätsel 98

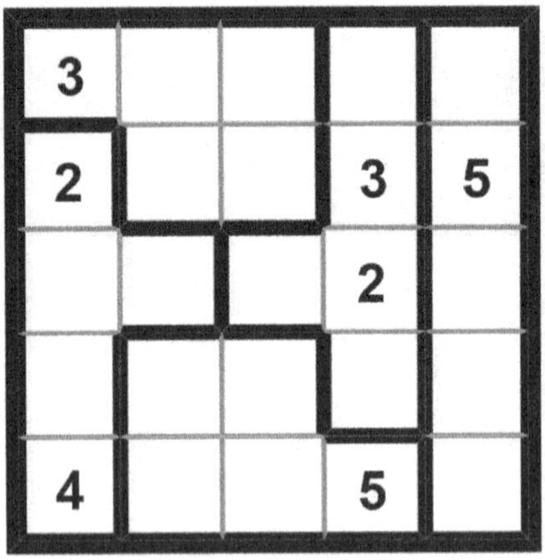

Rätsel 99

Rätsel 100

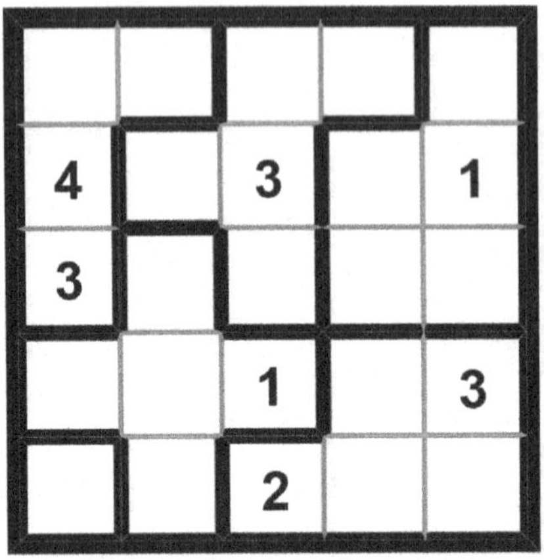

Rätsel 101

Rätsel 102

Rätsel 103

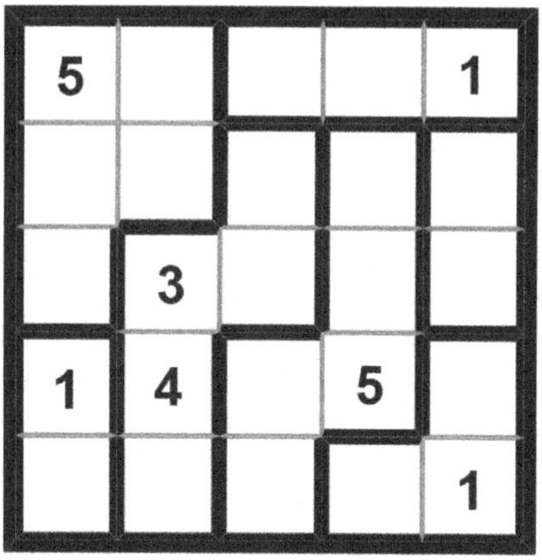

Rätsel 104

Rätsel 105

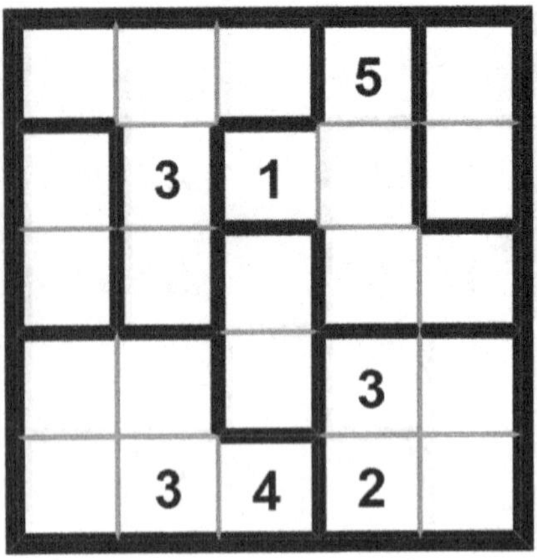

Rätsel 106

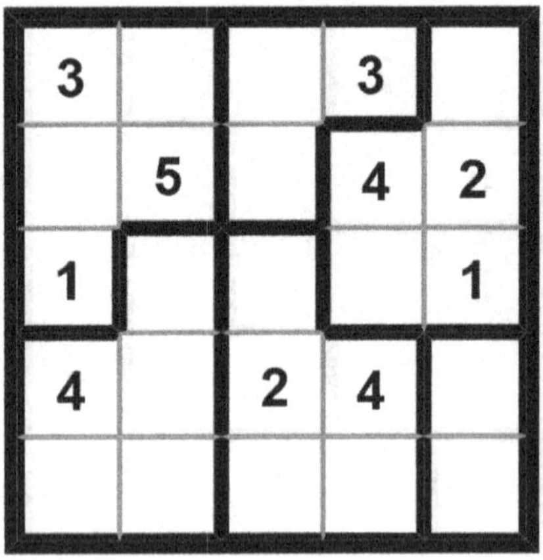

Rätsel 107

Rätsel 108

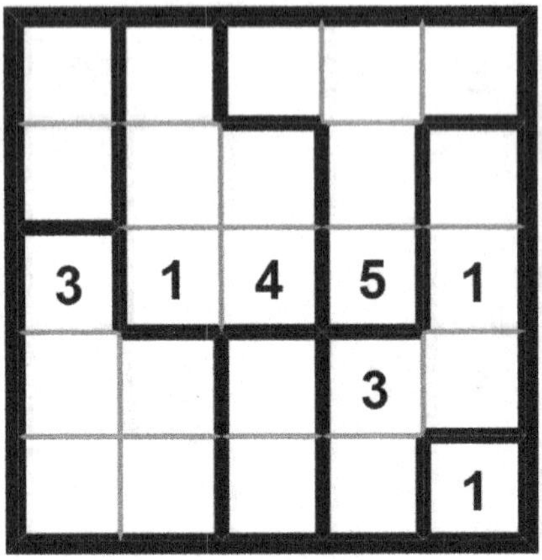

Rätsel 109

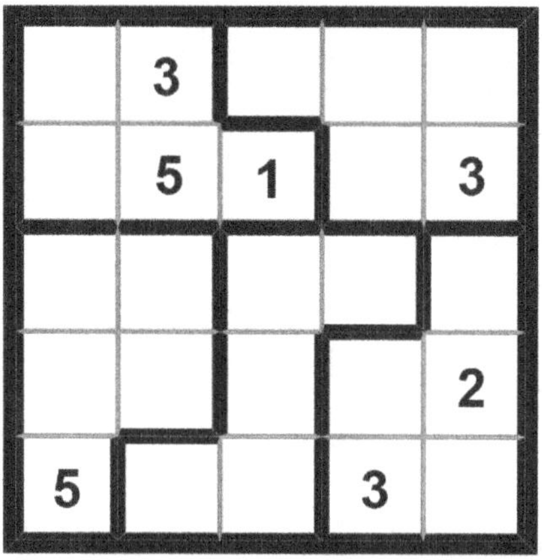

Rätsel 110

Rätsel 111

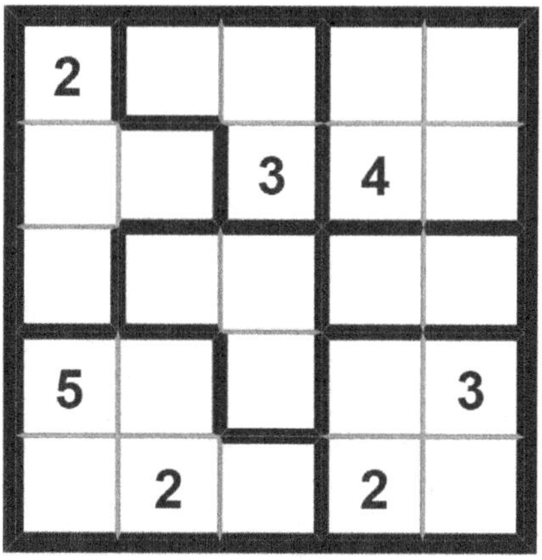

Rätsel 112

Rätsel 113

Rätsel 114

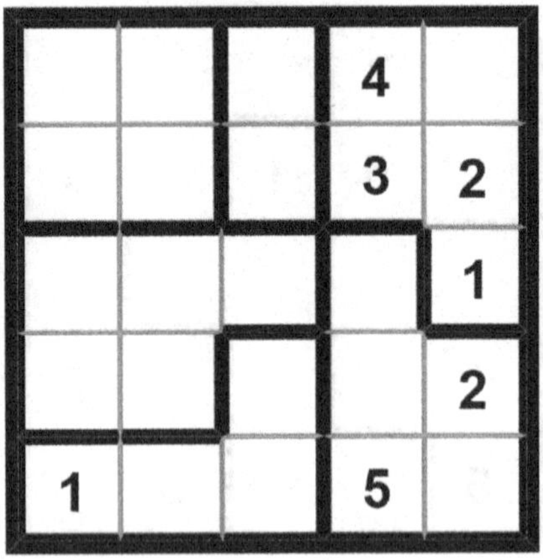

Rätsel 115

Rätsel 116

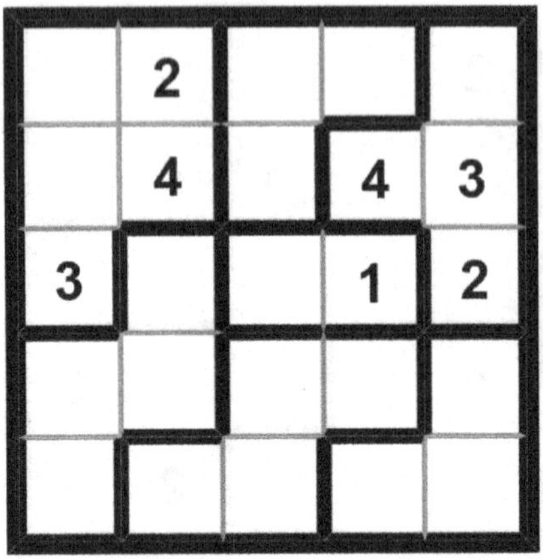

Rätsel 117

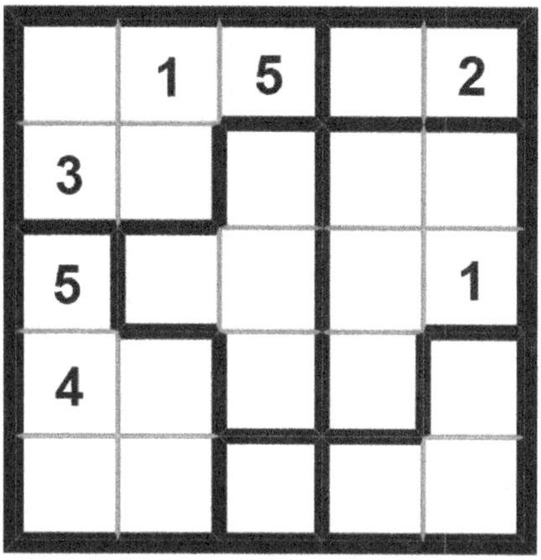

Rätsel 118

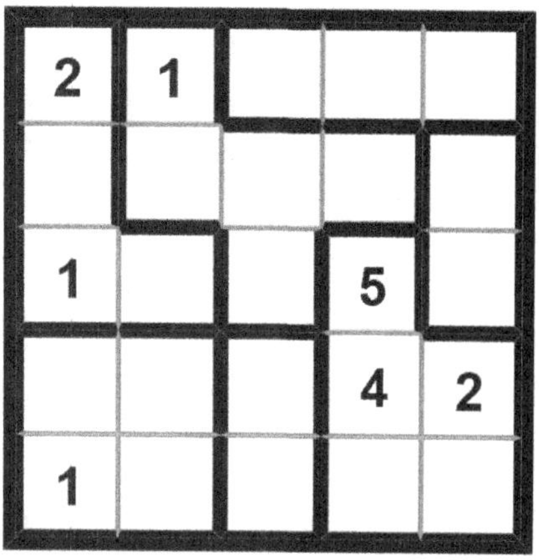

Rätsel 119

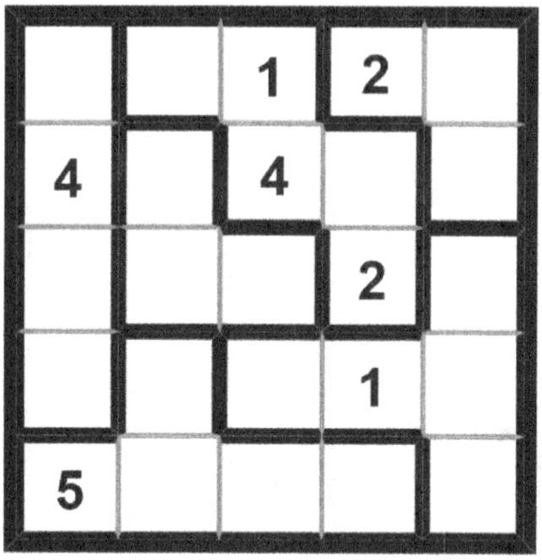

Rätsel 120

Rätsel 121

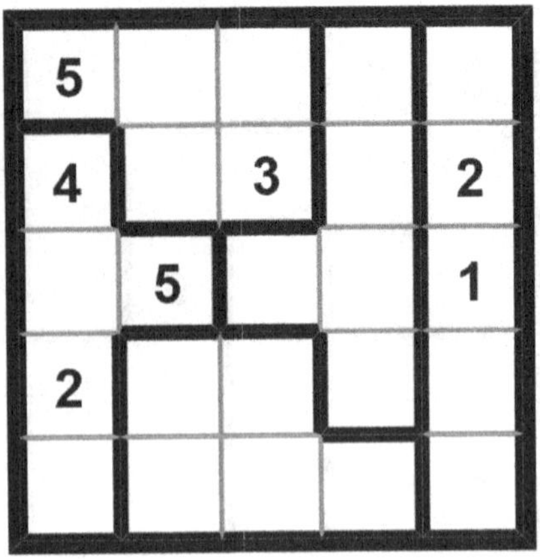

Rätsel 122

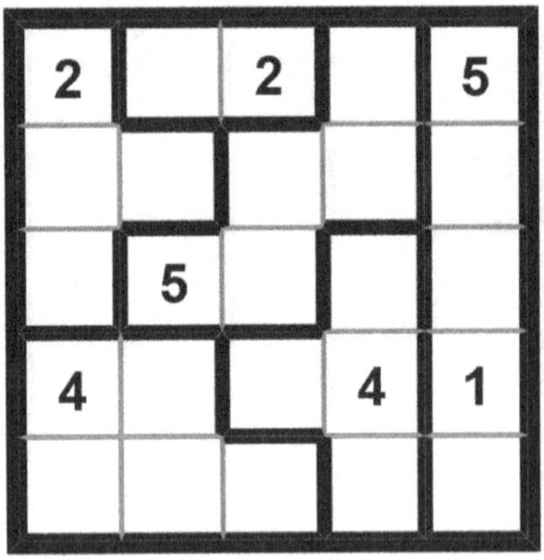

Rätsel 123

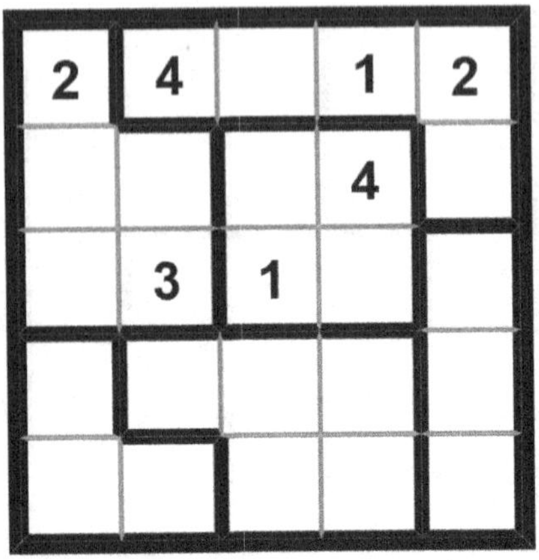

Rätsel 124

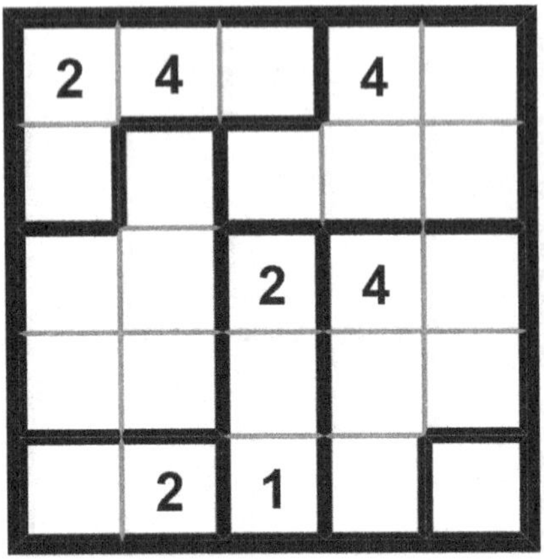

Rätsel 125

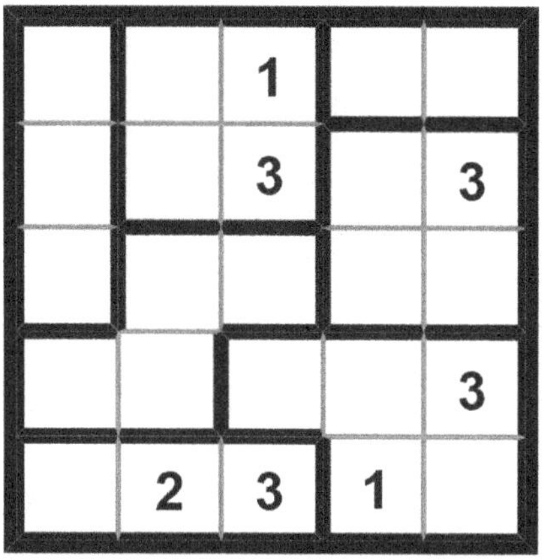

Rätsel 126

Rätsel 127

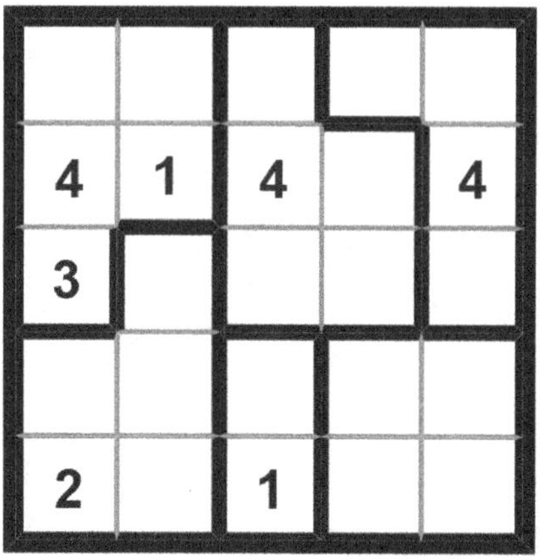

Rätsel 128

Rätsel 129

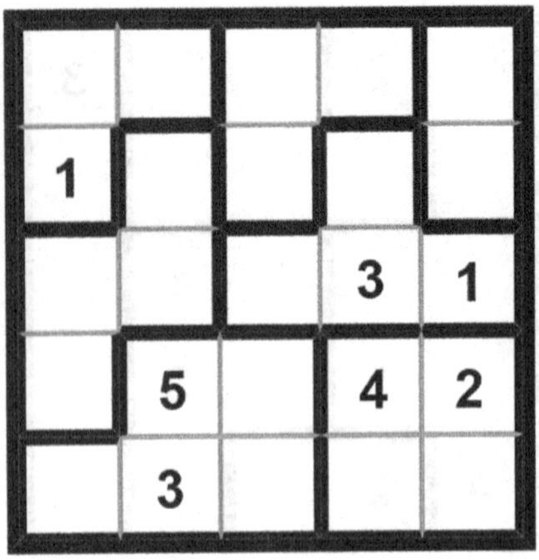

Rätsel 130

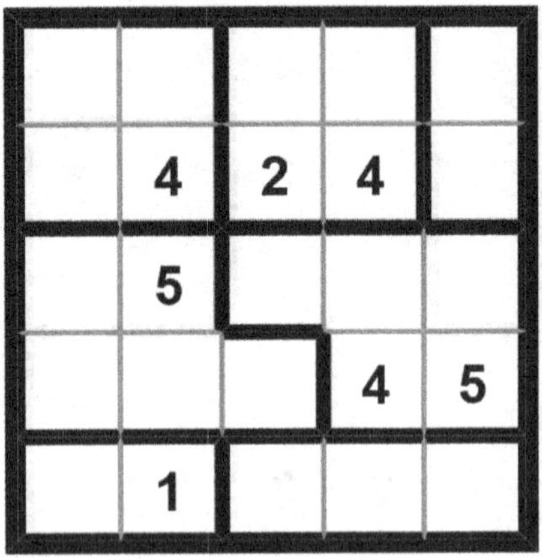

Rätsel 131

Rätsel 132

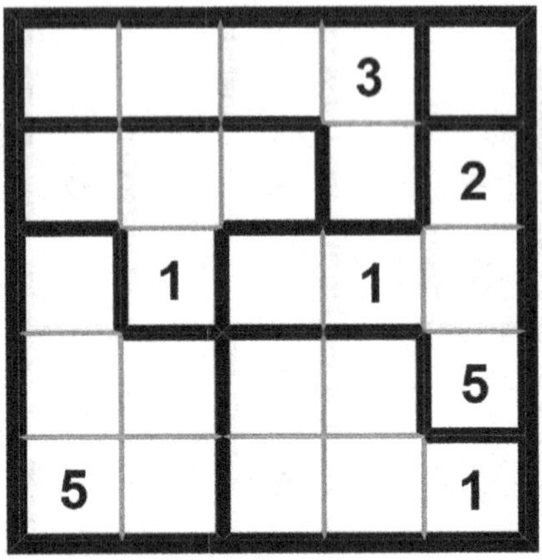

Rätsel 133

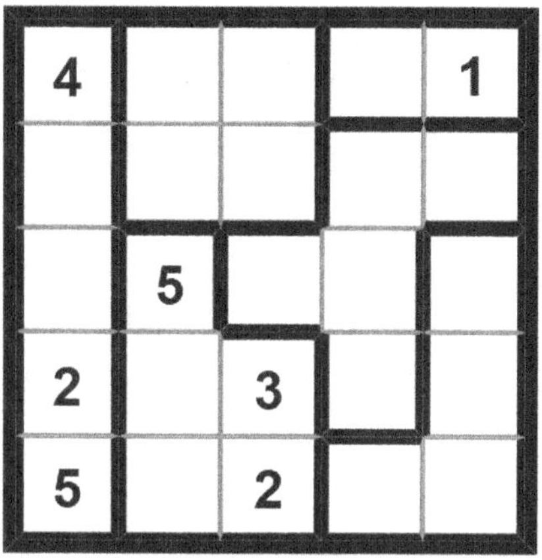

Rätsel 134

Rätsel 135

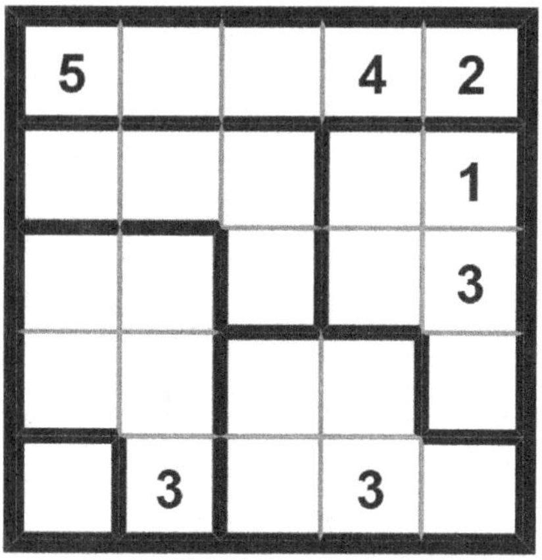

Rätsel 136

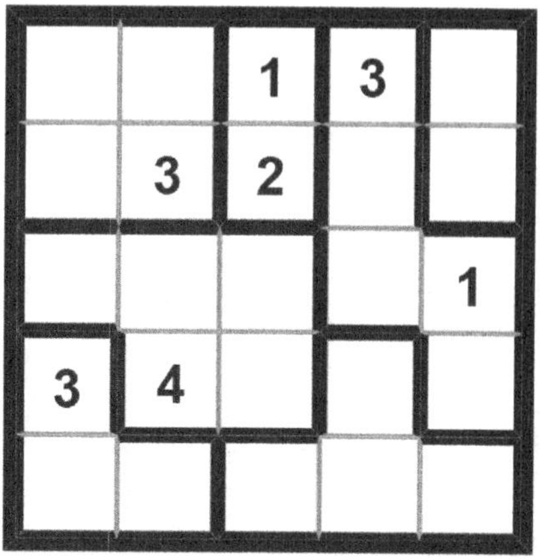

Rätsel 137

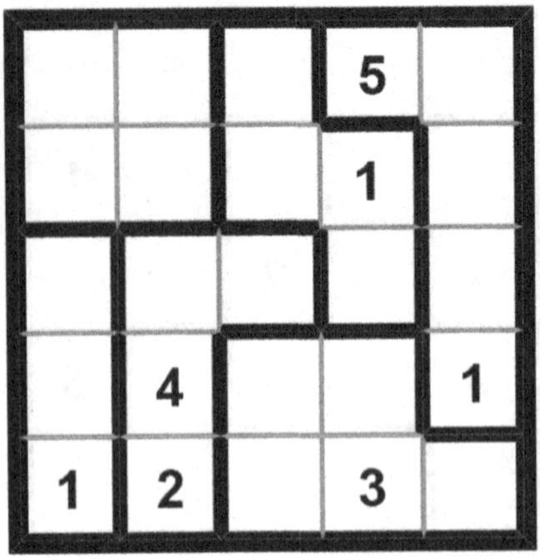

Rätsel 138

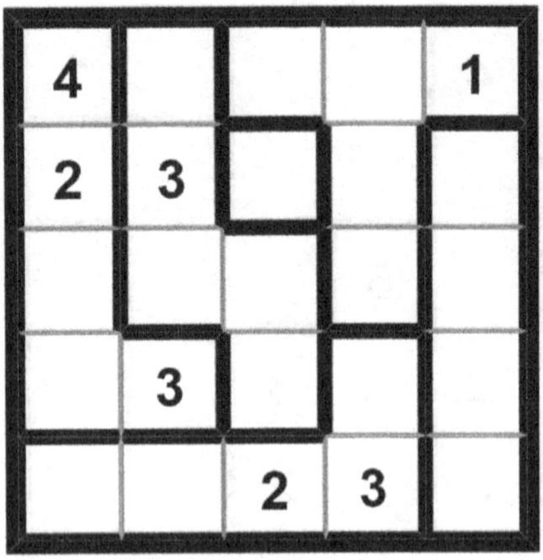

Rätsel 139

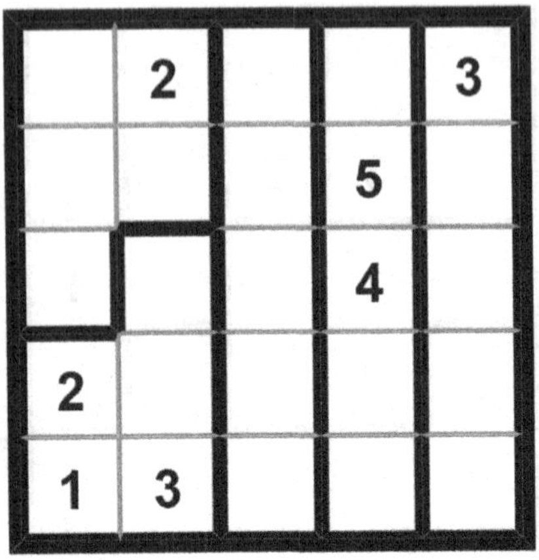

Rätsel 140

Rätsel 141

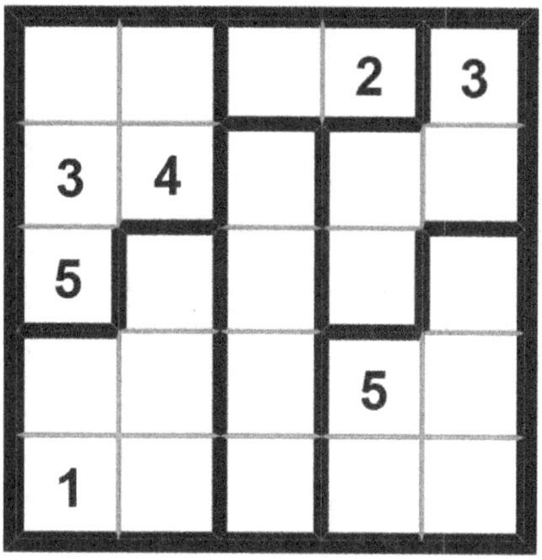

Rätsel 142

Rätsel 143

Rätsel 144

Rätsel 145

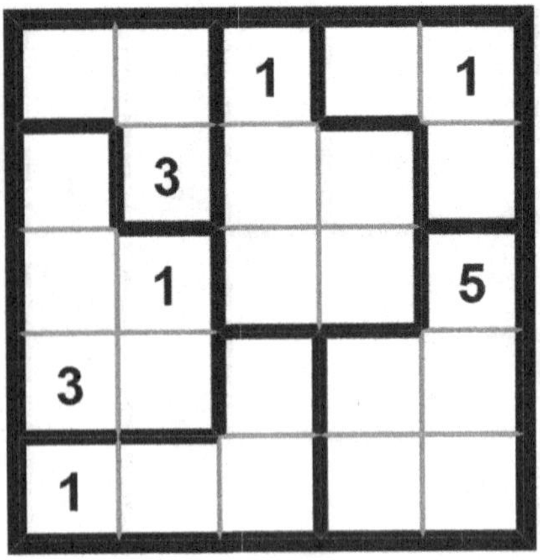

Rätsel 146

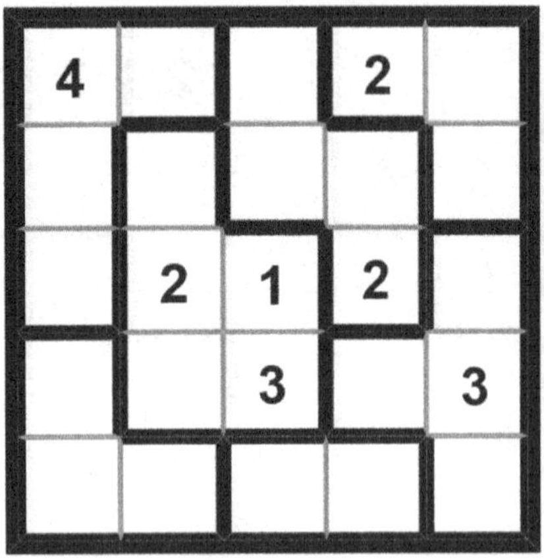

Rätsel 147

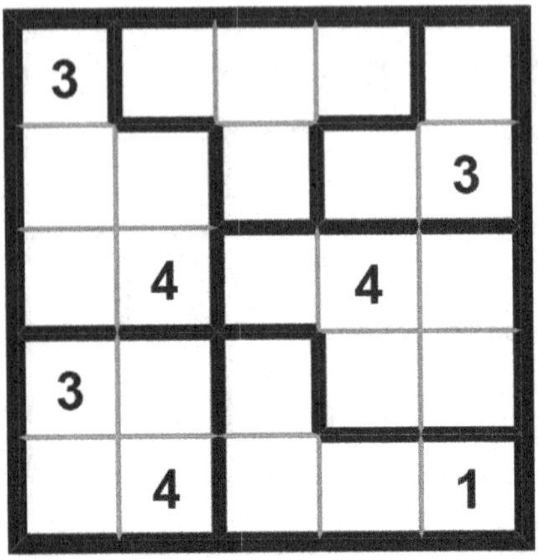

Rätsel 148

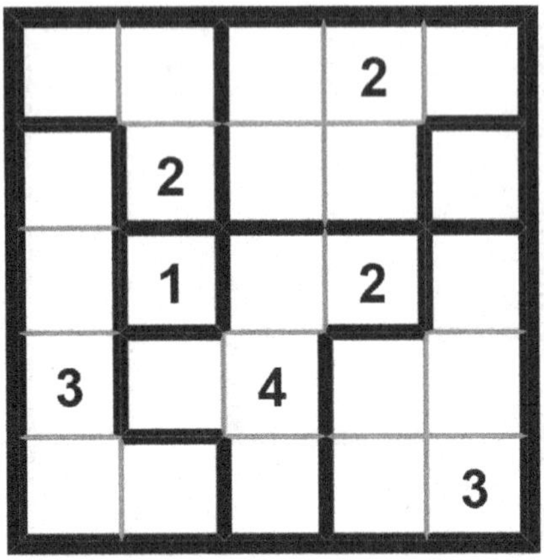

Rätsel 149

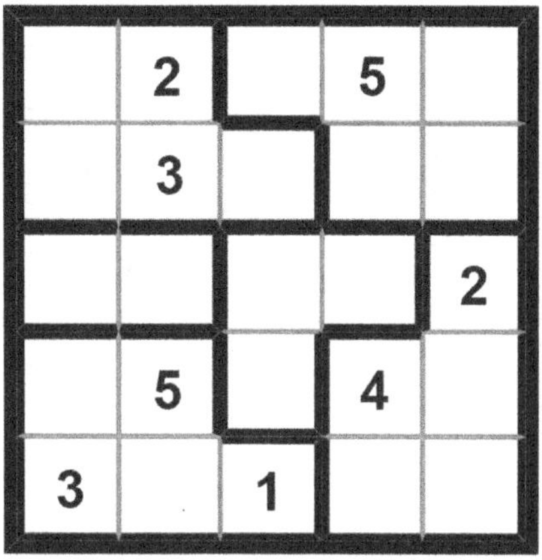

Rätsel 150

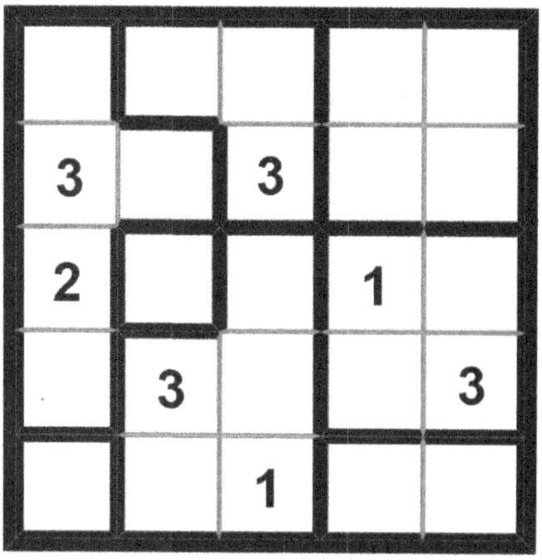

Rätsel 151

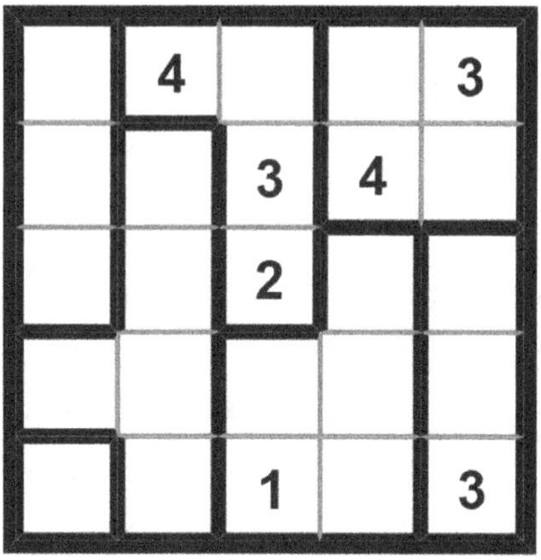

Rätsel 152

Rätsel 153

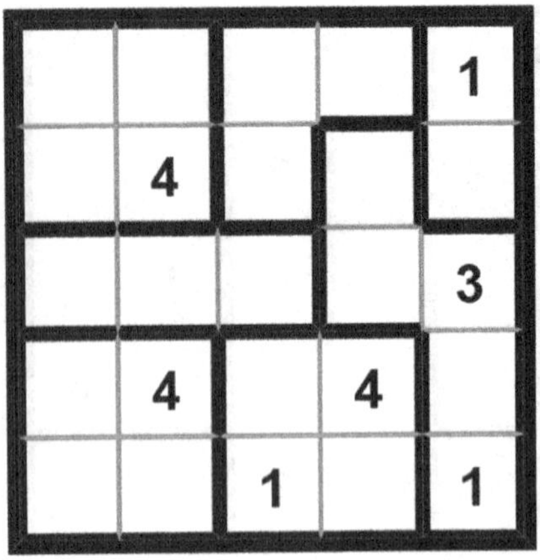

Rätsel 154

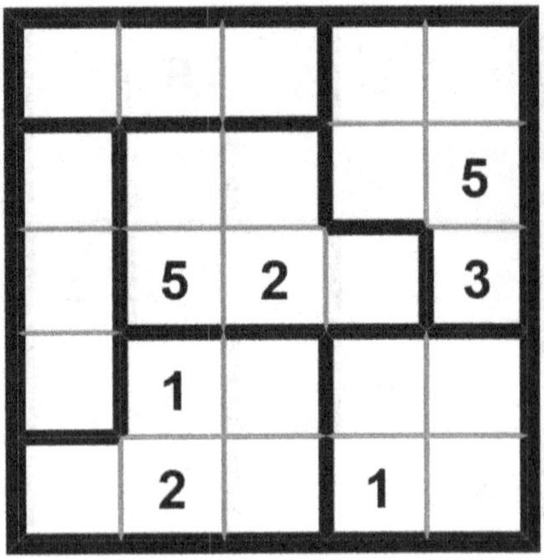

Rätsel 155

Rätsel 156

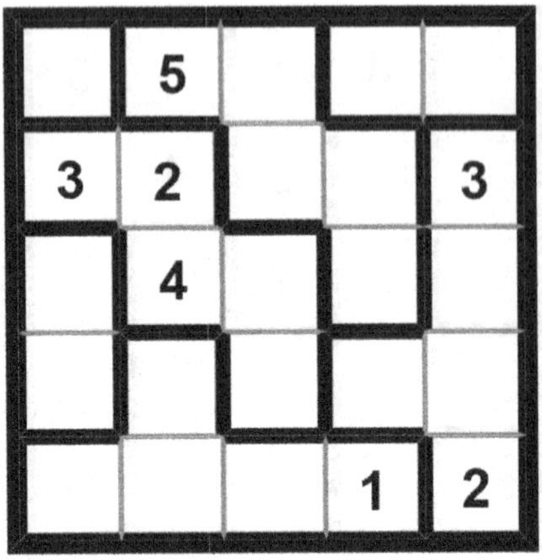

Rätsel 157

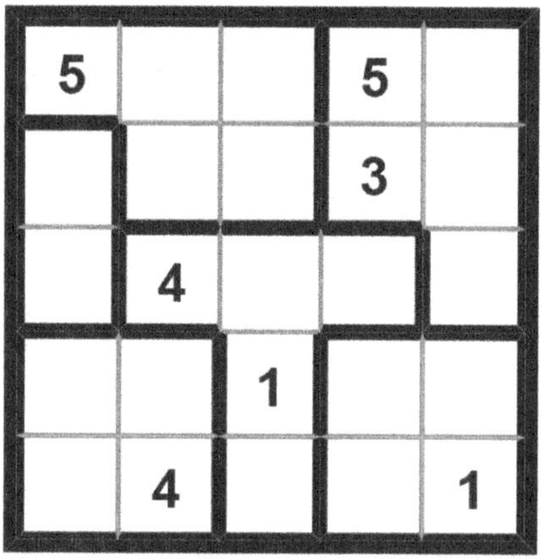

Rätsel 158

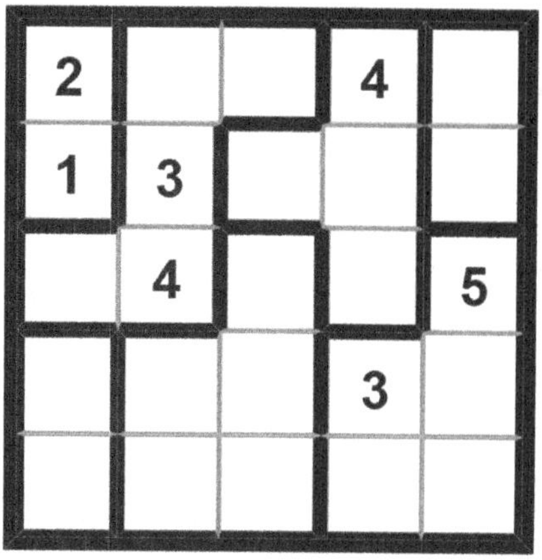

Rätsel 159

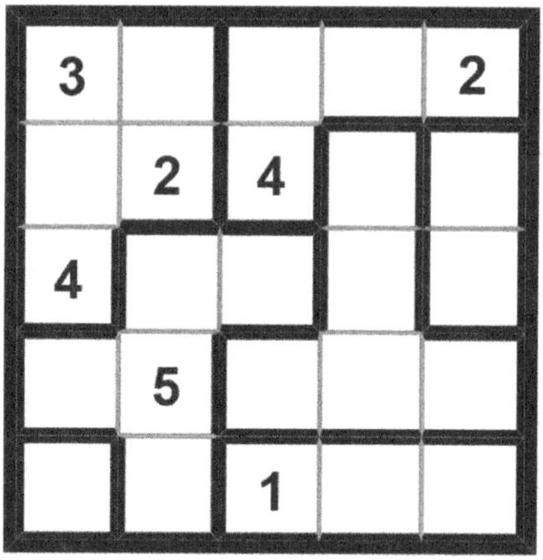

Rätsel 160

Rätsel 161

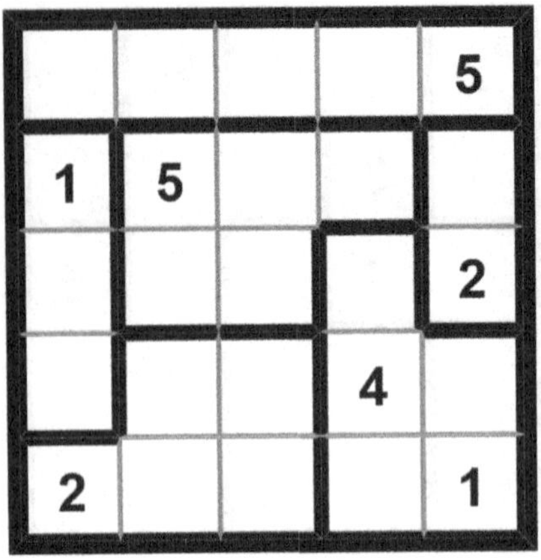

Rätsel 162

Rätsel 163

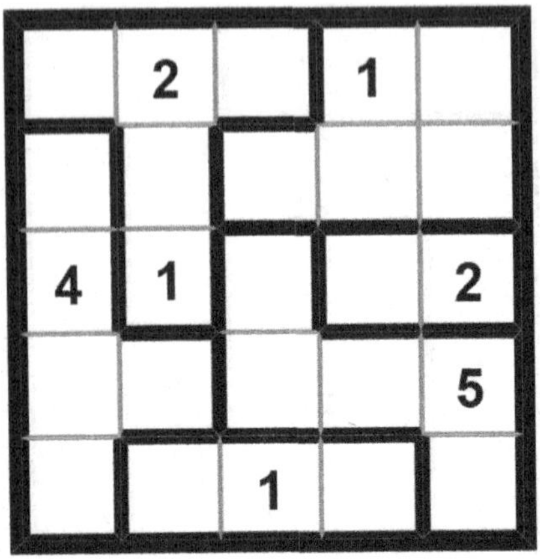

Rätsel 164

Rätsel 165

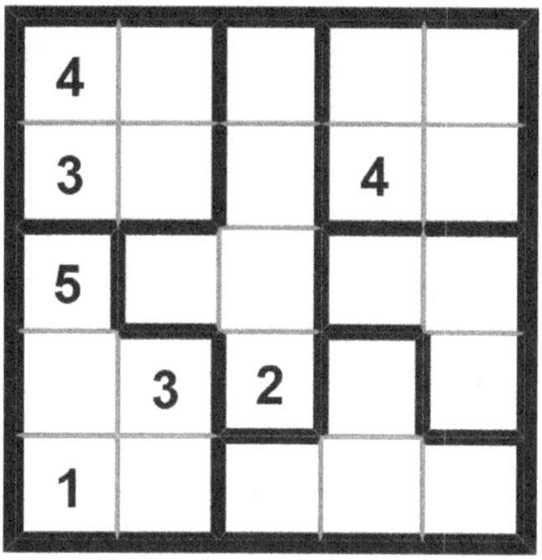

Rätsel 166

Rätsel 167

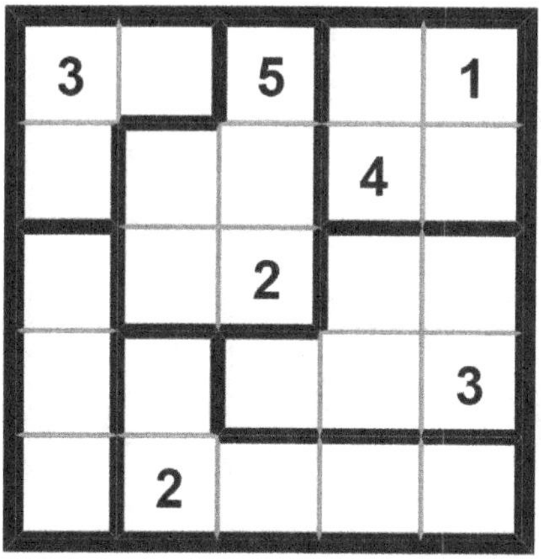

Rätsel 168

Rätsel 169

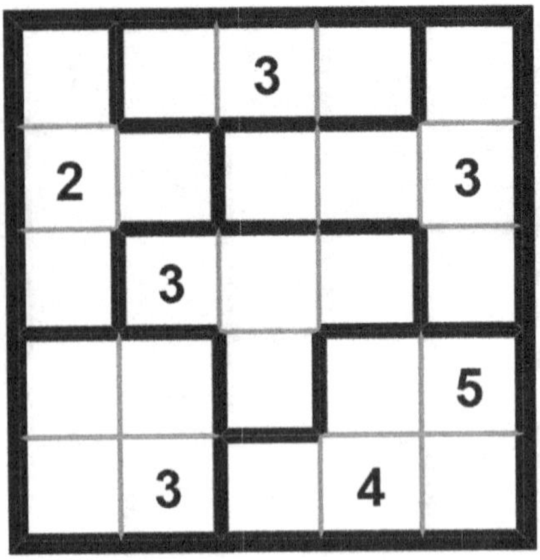

Rätsel 170

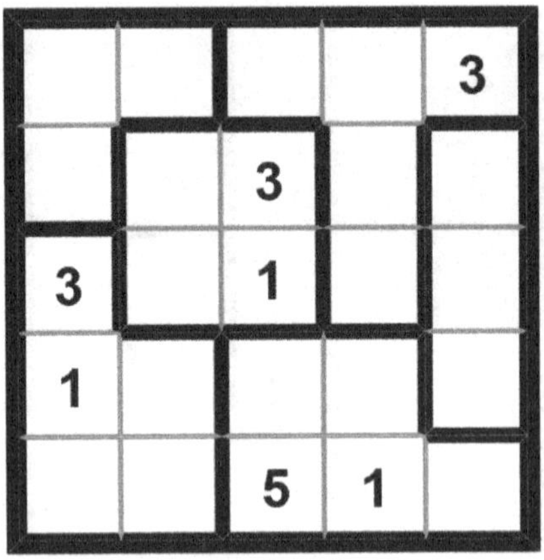

Rätsel 171

Rätsel 172

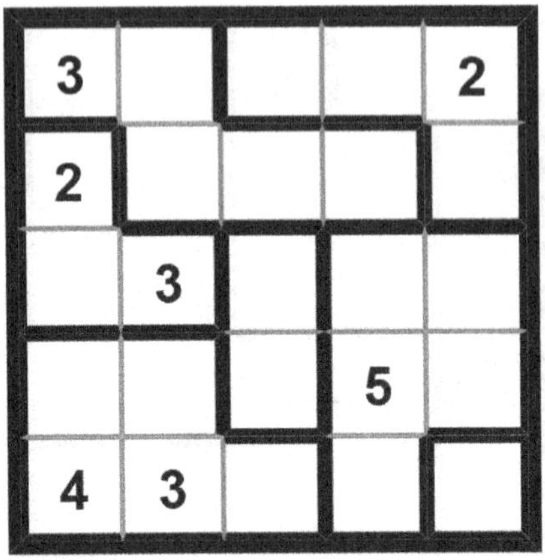

Rätsel 173

Rätsel 174

Rätsel 175

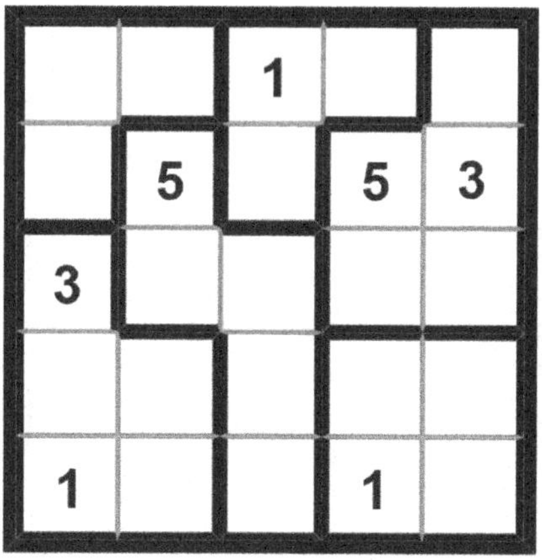

Rätsel 176

Rätsel 177

Rätsel 178

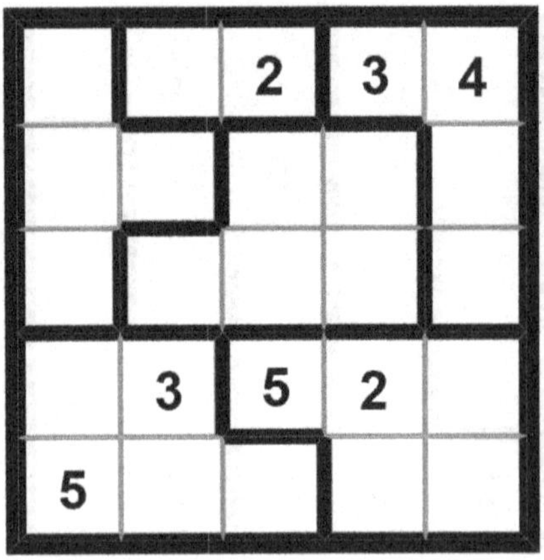

Rätsel 179

Rätsel 180

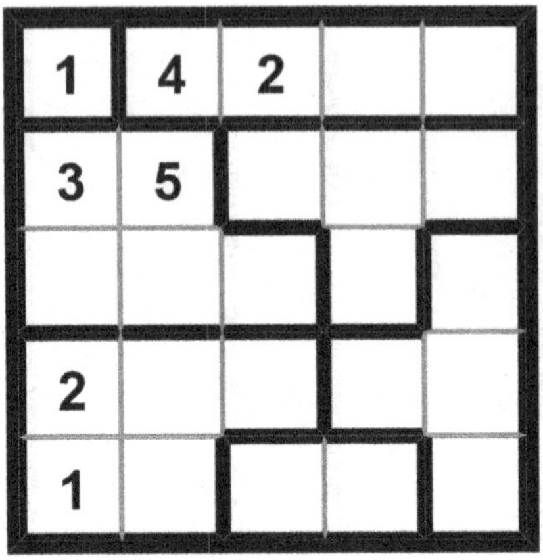

Rätsel 181

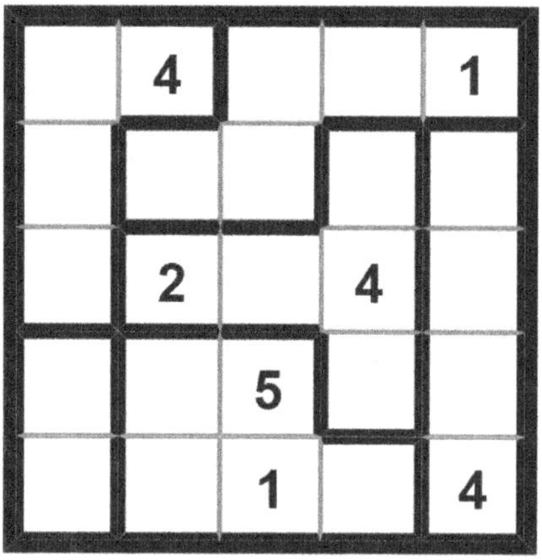

Rätsel 182

Rätsel 183

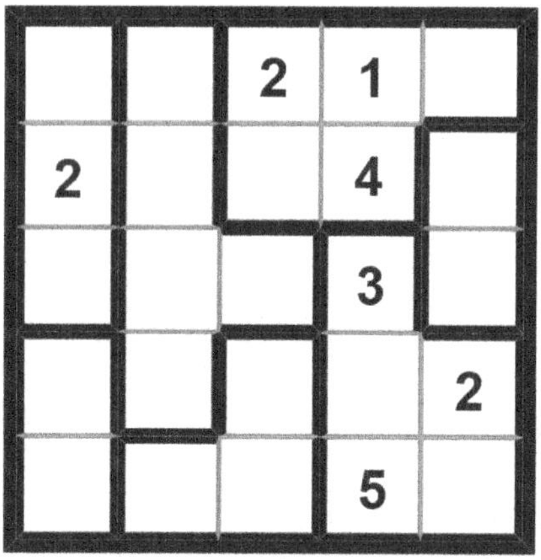

Rätsel 184

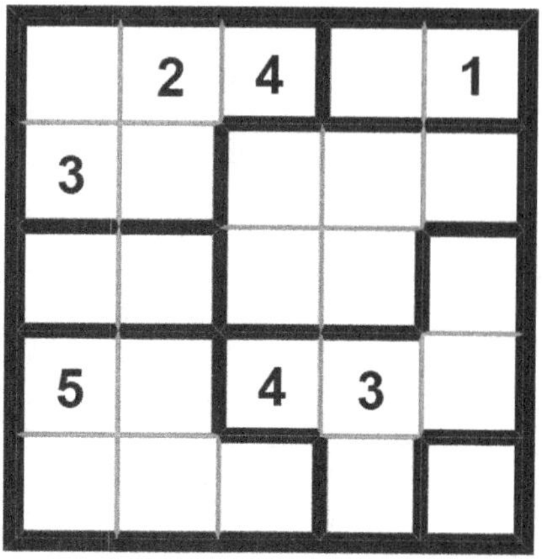

Rätsel 185

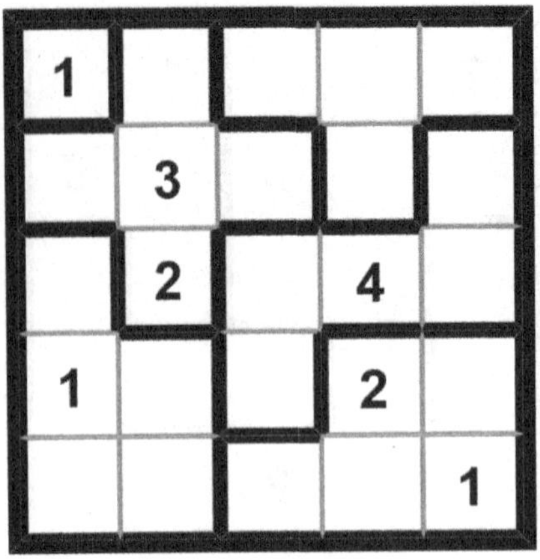

Rätsel 186

Rätsel 187

Rätsel 188

Rätsel 189

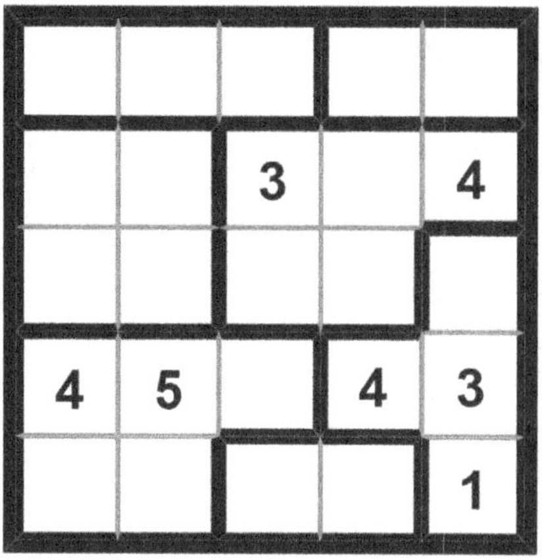

Rätsel 190

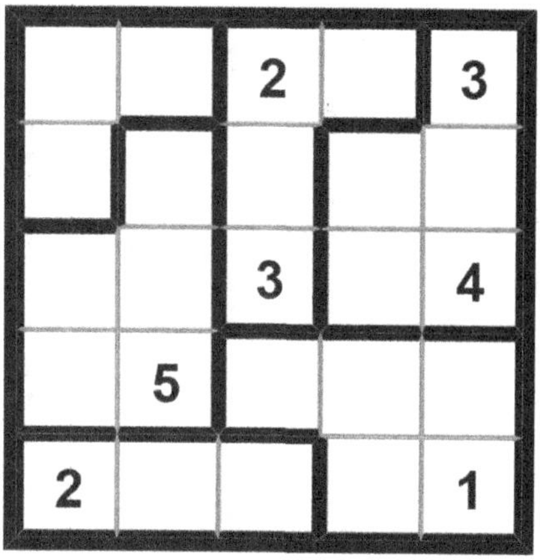

Rätsel 191

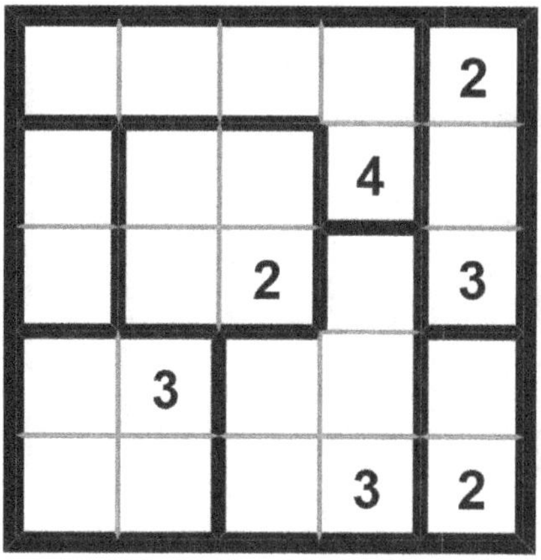

Rätsel 192

Rätsel 193

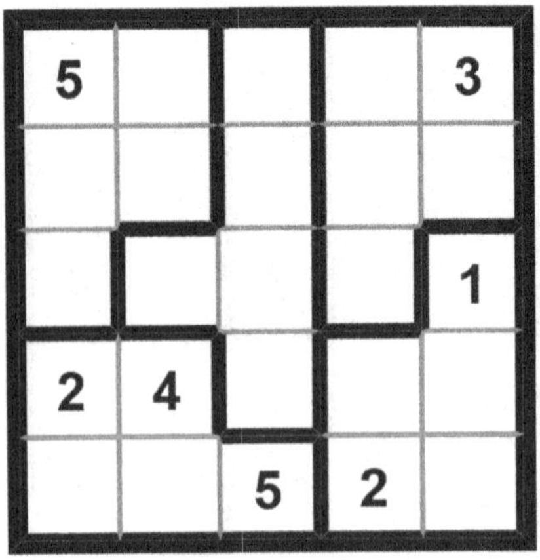

Rätsel 194

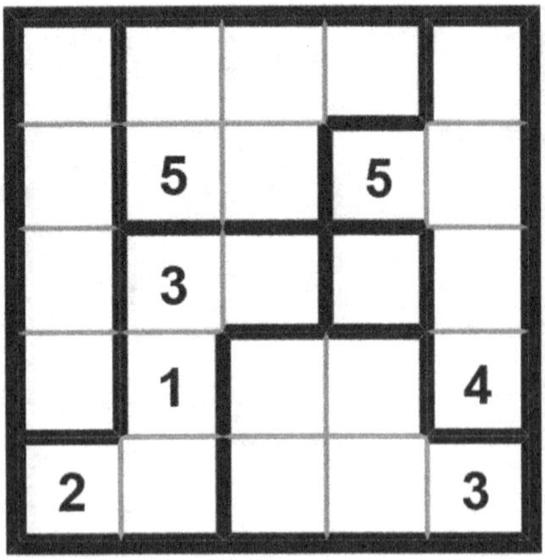

Rätsel 195

Rätsel 196

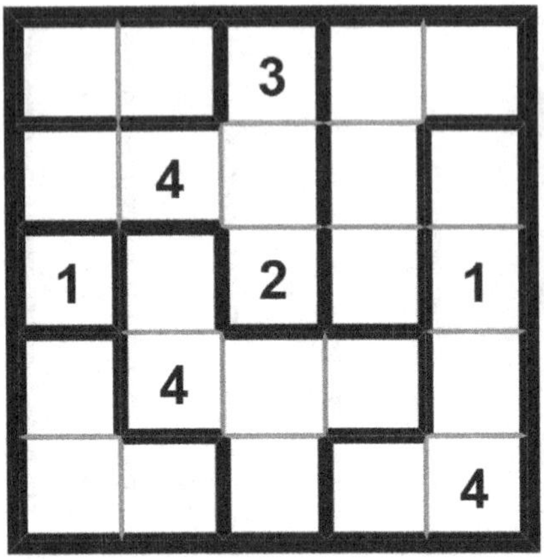

Rätsel 197

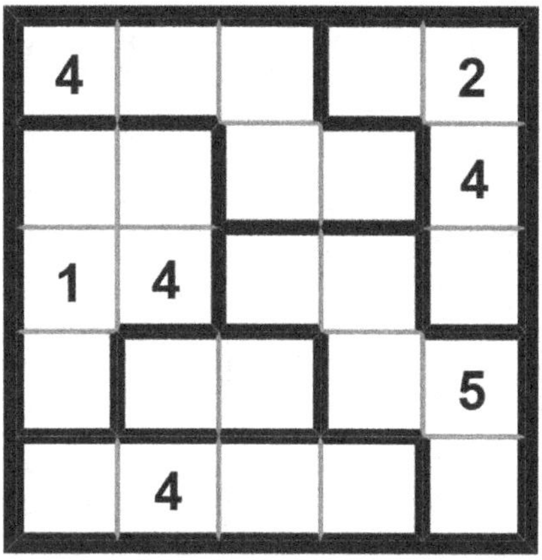

Rätsel 198

Rätsel 199

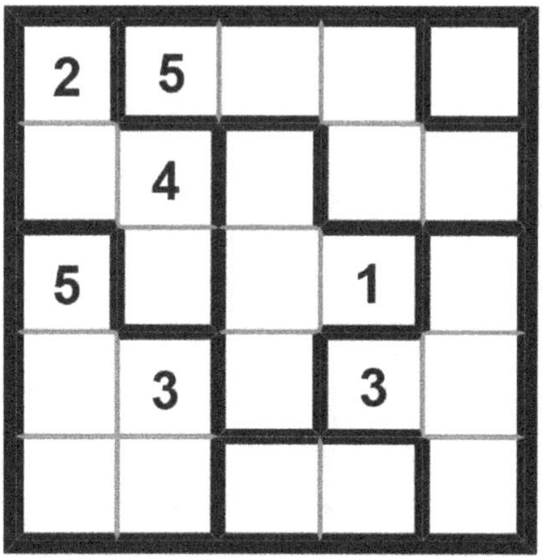

Rätsel 200

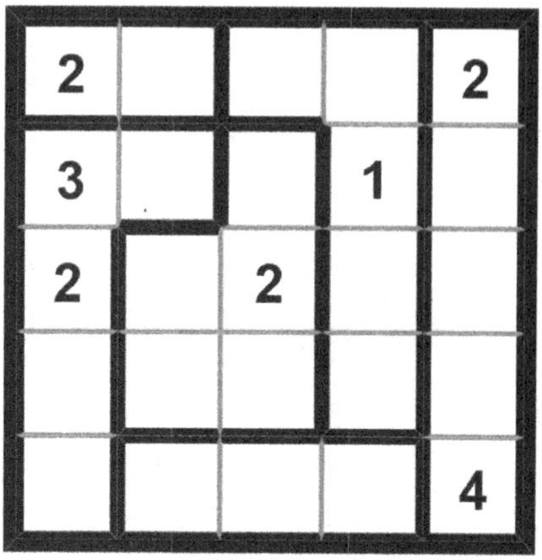

Lösung 1

1	4	2	1	2
2	5	3	4	3
3	1	2	1	5
5	4	3	4	2
3	1	2	1	3

Lösung 2

4	1	4	2	4
3	2	3	5	3
1	4	1	2	1
3	5	3	4	3
2	1	2	1	2

Lösung 3

1	2	1	2	3
3	4	3	4	1
1	2	1	2	3
4	5	3	4	5
1	2	1	2	1

Lösung 4

2	3	2	3	1
1	4	1	4	2
3	5	3	5	1
1	4	2	4	2
2	5	1	3	1

Lösung 5

1	2	3	2	1
3	4	1	4	3
1	5	2	5	2
2	4	3	4	3
1	5	1	2	1

Lösung 6

1	3	1	3	1
2	4	2	4	2
1	3	5	1	5
2	4	2	4	3
3	1	3	1	2

Lösung 7

1	3	1	3	2
2	4	2	4	1
3	5	1	3	2
2	4	2	4	1
1	3	1	3	2

Lösung 8

2	1	2	3	1
4	3	4	5	2
1	2	1	3	1
3	4	5	4	2
2	1	2	1	3

Lösung 9

2	1	2	1	2
3	5	4	3	4
1	2	1	2	1
3	4	5	4	3
2	1	3	2	1

Lösung 10

1	3	5	2	4
2	4	1	3	5
3	5	2	4	1
4	1	3	5	2
5	2	4	1	3

Lösung 11

3	2	5	2	4
4	1	4	1	3
3	5	3	2	5
1	2	1	4	3
5	4	5	2	1

Lösung 12

3	4	2	3	1
1	5	1	4	2
2	4	2	3	1
1	3	5	4	5
2	4	1	2	3

Lösung 13

1	2	3	2	1
3	5	1	4	3
4	2	3	2	1
3	1	4	5	4
4	2	3	1	2

Lösung 14

4	5	1	2	3
1	2	3	4	5
3	4	5	1	2
5	1	2	3	4
2	3	4	5	1

Lösung 15

1	2	1	2	1
3	5	4	3	5
4	1	2	1	2
2	5	3	4	3
3	4	1	5	2

Lösung 16

1	5	3	4	1
2	4	1	5	2
1	3	2	3	1
2	4	5	4	2
1	3	1	3	1

Lösung 17

2	1	3	1	2
3	4	5	4	5
1	2	1	2	1
3	5	3	4	3
1	4	2	1	2

Lösung 18

1	3	2	3	4
5	4	5	1	5
1	3	2	4	2
2	4	1	5	1
1	3	2	3	2

Lösung 19

1	4	2	3	2
2	3	1	4	1
1	4	2	3	2
3	5	1	4	5
1	2	3	2	1

Lösung 20

1	2	1	2	1
4	5	3	5	4
1	2	1	2	3
4	5	3	5	4
3	2	1	2	1

Lösung 21

3	1	3	1	2
2	5	2	5	3
1	4	1	4	2
3	2	3	5	1
1	4	1	2	4

Lösung 22

3	1	4	2	5
4	2	5	3	1
5	3	1	4	2
1	4	2	5	3
2	5	3	1	4

Lösung 23

3	4	1	4	1
2	5	2	3	2
1	3	1	5	1
2	5	4	3	2
3	1	2	1	4

Lösung 24

4	1	4	1	5
3	5	3	2	3
4	2	1	4	1
5	3	5	3	2
2	1	2	4	1

Lösung 25

2	3	1	2	1
1	5	4	5	4
3	2	3	2	1
5	1	5	4	3
4	3	2	1	2

Lösung 26

1	2	3	2	3
5	4	1	4	1
1	3	2	3	2
2	5	4	1	4
4	1	3	2	3

Lösung 27

4	1	3	5	2
5	2	4	1	3
1	3	5	2	4
2	4	1	3	5
3	5	2	4	1

Lösung 28

2	4	1	5	4
5	3	2	3	2
2	1	5	4	1
3	4	3	2	3
1	2	1	4	1

Lösung 29

1	3	1	2	1
5	2	4	3	4
1	3	5	1	2
2	4	2	4	3
3	1	3	1	2

Lösung 30

1	3	2	4	2
5	4	1	5	3
1	2	3	2	1
3	4	1	5	3
1	2	3	4	2

Lösung 31

2	3	1	4	1
1	4	2	3	5
2	3	1	4	2
1	4	5	3	5
2	3	1	4	2

Lösung 32

2	1	2	1	3
4	5	4	5	4
1	3	1	3	2
2	4	2	5	4
5	3	1	3	1

Lösung 33

3	1	2	1	3
2	4	5	4	2
1	3	2	3	1
2	4	1	5	2
1	5	2	3	1

Lösung 34

1	3	2	1	5
2	4	5	4	2
1	3	1	3	1
2	4	2	4	2
3	1	3	1	3

Lösung 35

2	3	1	5	2
1	4	2	4	3
5	3	1	5	2
1	2	4	3	1
3	5	1	2	4

Lösung 36

5	3	4	5	1
1	2	1	2	3
4	3	4	5	1
2	5	2	3	2
1	3	1	4	1

Lösung 37

1	2	1	2	3
3	4	3	4	1
2	1	2	5	2
3	4	3	4	3
1	2	1	2	1

Lösung 38

2	3	1	4	3
1	4	2	5	1
2	3	1	3	2
1	4	2	4	1
2	3	1	3	2

Lösung 39

2	1	2	1	2
3	4	3	4	3
1	2	1	2	1
3	4	3	4	5
1	2	5	2	1

Lösung 40

3	4	5	1	2
1	2	3	4	5
4	5	1	2	3
2	3	4	5	1
5	1	2	3	4

Lösung 41

5	2	1	3	4
1	3	4	5	2
2	5	1	3	1
3	4	2	4	2
2	1	3	5	1

Lösung 42

2	1	2	5	2
4	3	4	3	1
1	2	1	2	4
3	4	3	5	1
1	2	1	2	3

Lösung 43

5	1	4	2	1
3	2	5	3	4
1	4	1	2	1
2	5	3	4	3
3	4	2	1	2

Lösung 44

3	5	1	4	1
2	4	2	3	2
1	3	1	4	5
4	5	2	3	2
3	1	4	5	1

Lösung 45

3	2	4	1	2
4	1	5	3	4
2	3	2	1	5
1	4	5	4	3
2	3	1	2	1

Lösung 46

2	1	2	3	2
4	3	4	1	4
1	2	5	3	5
3	4	1	2	1
1	2	3	5	3

Lösung 47

2	1	2	1	3
4	3	4	5	2
1	2	1	3	4
3	4	5	2	1
1	2	3	4	3

Lösung 48

1	2	3	2	3
3	5	1	4	1
1	4	2	3	2
2	3	1	5	1
1	4	2	4	2

Lösung 49

1	5	1	2	1
4	3	4	3	4
2	1	2	1	2
3	4	3	4	3
1	2	1	2	1

Lösung 50

1	5	1	2	1
4	3	4	3	5
5	2	1	2	4
3	4	3	5	3
2	1	2	1	2

Lösung 51

2	1	2	1	4
3	5	4	3	5
4	1	2	1	2
3	5	3	4	3
4	1	2	1	2

Lösung 52

5	1	2	1	4
3	4	3	5	3
1	5	2	1	2
4	3	4	3	4
2	1	2	1	2

Lösung 53

4	5	1	2	3
2	3	4	5	1
5	1	2	3	4
3	4	5	1	2
1	2	3	4	5

Lösung 54

1	3	5	2	4
5	2	4	1	3
4	1	3	5	2
3	5	2	4	1
2	4	1	3	5

Lösung 55

4	3	5	1	3
2	1	2	4	2
3	4	3	1	3
1	5	2	4	2
2	4	1	3	1

Lösung 56

1	2	1	2	3
3	4	3	4	1
2	1	2	5	3
4	3	4	1	2
5	1	2	3	4

Lösung 57

1	3	1	3	2
4	5	2	4	1
2	3	1	3	2
1	5	2	4	1
3	4	1	5	2

Lösung 58

1	3	1	2	1
2	4	5	4	3
1	3	2	1	2
2	5	4	3	4
3	1	2	1	2

Lösung 59

1	3	1	4	2
2	4	2	3	1
3	1	5	4	2
4	2	3	1	3
3	1	4	2	4

Lösung 60

2	3	1	4	3
1	5	2	5	1
3	4	1	4	2
2	5	2	3	1
3	1	4	5	2

Lösung 61

4	1	2	4	3
2	5	3	1	5
3	1	4	2	4
5	2	5	3	1
1	3	1	2	4

Lösung 62

2	5	1	3	4
1	3	4	2	1
4	2	1	3	4
5	3	4	5	2
2	1	2	1	3

Lösung 63

3	1	4	2	5
4	2	5	3	1
5	3	1	4	2
1	4	2	5	3
2	5	3	1	4

Lösung 64

3	5	1	3	4
2	4	2	5	2
1	5	1	3	1
2	4	2	4	2
3	1	3	1	3

Lösung 65

2	1	2	3	2
4	5	4	5	4
1	2	3	2	1
3	4	5	4	3
5	1	3	1	5

Lösung 66

1	3	2	3	1
2	4	1	4	2
1	5	2	5	1
3	4	3	4	3
5	1	2	1	2

Lösung 67

3	4	5	1	2
5	1	2	3	4
2	3	4	5	1
4	5	1	2	3
1	2	3	4	5

Lösung 68

2	4	2	3	4
1	5	1	5	1
3	2	3	4	3
1	4	1	5	1
2	3	2	4	2

Lösung 69

4	2	1	2	1
1	5	3	4	3
2	4	2	1	2
3	5	3	4	5
1	2	1	2	1

Lösung 70

2	3	4	5	1
5	1	2	3	4
3	4	5	1	2
1	2	3	4	5
4	5	1	2	3

Lösung 71

1	2	1	2	1
3	4	3	4	3
2	1	2	1	2
3	5	3	4	3
1	4	2	1	2

Lösung 72

5	1	3	1	2
4	2	4	5	4
1	3	1	3	2
2	4	2	5	1
3	1	3	4	2

Lösung 73

3	4	5	1	2
1	2	3	4	5
4	5	1	2	3
2	3	4	5	1
5	1	2	3	4

Lösung 74

4	5	1	2	3
1	2	3	4	5
3	4	5	1	2
5	1	2	3	4
2	3	4	5	1

Lösung 75

4	2	1	3	1
1	3	4	5	2
2	5	2	3	1
1	3	1	4	2
4	5	2	3	1

Lösung 76

5	4	2	3	1
2	3	1	4	2
1	5	2	3	1
2	3	1	4	2
1	4	2	3	1

Lösung 77

5	4	3	2	1
2	1	5	4	3
4	3	2	1	5
1	5	4	3	2
3	2	1	5	4

Lösung 78

2	1	2	3	1
3	4	5	4	2
1	2	3	1	3
4	5	4	2	4
1	2	1	3	1

Lösung 79

1	5	3	2	1
3	2	4	5	4
1	5	1	3	2
2	3	2	4	1
1	4	1	3	2

Lösung 80

4	2	4	1	3
3	1	3	2	4
2	5	4	1	5
1	3	2	3	2
2	5	1	4	1

Lösung 81

4	2	1	3	1
5	3	4	5	2
2	1	2	3	1
4	3	4	5	2
1	2	1	3	1

Lösung 82

1	4	2	3	2
2	3	1	5	1
1	4	2	4	3
2	3	1	5	2
1	4	2	3	1

Lösung 83

1	3	5	2	4
4	2	1	3	5
1	5	4	2	1
3	2	3	5	3
1	4	1	2	4

Lösung 84

1	2	1	3	5
3	4	5	4	2
2	1	2	1	3
3	4	5	4	2
1	2	1	3	1

Lösung 85

1	3	2	3	1
2	4	1	4	2
1	3	2	3	1
2	5	4	5	2
4	1	2	3	1

Lösung 86

4	1	2	1	2
3	5	4	5	3
1	2	3	2	1
4	5	1	4	3
1	2	3	2	1

Lösung 87

1	5	2	3	2
4	3	1	4	1
1	2	5	2	3
4	3	4	1	5
2	1	2	3	4

Lösung 88

4	3	2	1	5
1	5	4	3	2
3	2	1	5	4
5	4	3	2	1
2	1	5	4	3

Lösung 89

2	1	2	1	2
3	5	4	3	4
1	2	1	2	1
4	5	3	4	3
3	2	1	2	1

Lösung 90

1	5	4	1	4
2	3	2	5	3
1	4	1	4	2
2	3	2	5	1
1	5	1	3	2

Lösung 91

3	4	2	1	2
1	5	3	4	3
4	2	1	5	1
3	5	4	3	4
2	1	2	1	2

Lösung 92

2	3	1	4	1
1	4	2	3	2
2	3	5	4	1
1	4	2	3	2
2	3	1	5	1

Lösung 93

1	4	1	3	1
2	5	2	5	4
4	3	1	3	2
2	5	4	5	1
4	3	1	2	3

Lösung 94

3	2	5	2	1
1	4	1	4	3
3	2	3	2	1
4	1	4	5	3
2	3	2	1	4

Lösung 95

3	1	5	4	3
2	4	2	1	5
1	5	3	4	3
2	4	2	5	1
1	3	1	4	2

Lösung 96

2	3	1	3	1
1	5	4	5	2
2	3	1	3	1
1	4	2	4	2
2	3	5	1	3

Lösung 97

3	1	2	1	2
2	4	3	4	3
3	5	1	2	1
4	2	4	3	4
1	3	5	1	2

Lösung 98

3	5	2	4	1
2	4	1	3	5
1	3	5	2	4
5	2	4	1	3
4	1	3	5	2

Lösung 99

2	1	2	1	2
3	4	3	5	3
1	2	1	2	1
3	4	3	5	4
2	1	2	1	3

Lösung 100

1	2	1	2	3
4	5	3	5	1
3	2	4	2	4
4	5	1	5	3
1	3	2	4	1

Lösung 101

1	2	1	2	1
5	4	3	4	3
3	1	5	1	2
2	4	2	3	5
1	3	1	4	2

Lösung 102

1	3	2	3	1
2	4	1	4	2
1	5	2	5	3
2	3	1	4	1
1	4	2	5	3

Lösung 103

5	3	2	3	1
1	4	1	4	2
2	3	2	3	1
1	4	1	5	2
2	5	2	3	1

Lösung 104

2	3	1	4	3
1	4	5	2	1
2	3	1	3	5
1	4	5	4	2
2	3	2	3	1

Lösung 105

1	5	2	5	2
2	3	1	3	1
1	4	2	4	2
2	5	1	3	1
1	3	4	2	4

Lösung 106

3	4	1	3	5
2	5	2	4	2
1	3	1	3	1
4	5	2	4	2
2	1	3	5	1

Lösung 107

1	5	2	3	2
2	3	1	4	1
1	5	2	3	2
4	3	1	4	1
1	2	5	2	3

Lösung 108

1	3	4	1	2
2	5	2	3	4
3	1	4	5	1
2	5	2	3	2
1	4	1	5	1

Lösung 109

2	3	4	5	1
4	5	1	2	3
1	2	3	4	5
3	4	5	1	2
5	1	2	3	4

Lösung 110

3	1	2	4	2
5	4	3	5	1
1	2	1	2	3
3	4	5	4	1
2	1	3	2	3

Lösung 111

2	1	2	1	2
3	4	3	4	3
1	2	1	2	1
5	4	3	4	3
3	2	1	2	1

Lösung 112

3	1	3	2	4
4	2	4	5	3
1	5	1	2	1
2	4	3	4	5
3	1	2	1	2

Lösung 113

2	1	2	1	2
4	3	4	3	4
1	2	1	2	1
3	5	3	5	3
1	2	4	2	1

Lösung 114

2	3	1	4	5
1	4	2	3	2
2	3	1	4	1
4	5	2	3	2
1	3	4	5	1

Lösung 115

4	5	1	3	1
1	3	2	4	2
2	4	5	1	3
1	3	2	4	5
2	4	1	3	1

Lösung 116

1	2	1	2	1
5	4	3	4	3
3	1	2	1	2
2	4	3	4	3
3	1	2	1	2

Lösung 117

2	1	5	1	2
3	4	3	4	3
5	2	1	2	1
4	3	4	5	3
1	2	1	2	1

Lösung 118

2	1	2	1	3
3	5	3	4	2
1	4	2	5	1
2	3	1	4	2
1	4	2	3	1

Lösung 119

1	3	1	2	3
4	2	4	5	1
3	1	3	2	3
2	4	5	1	4
5	1	2	3	2

Lösung 120

1	4	2	3	1
2	3	1	4	2
1	4	2	5	3
2	5	3	4	1
3	4	1	2	3

Lösung 121

5	2	4	1	3
4	1	3	5	2
3	5	2	4	1
2	4	1	3	5
1	3	5	2	4

Lösung 122

2	1	2	3	5
4	3	4	1	4
1	5	2	3	2
4	3	1	4	1
1	2	5	2	3

Lösung 123

2	4	3	1	2
1	5	2	4	5
4	3	1	3	1
2	5	2	4	2
3	1	3	1	3

Lösung 124

2	4	1	4	1
3	5	3	5	2
2	1	2	4	1
3	4	3	5	3
1	2	1	2	1

Lösung 125

1	2	1	2	1
3	4	3	4	3
2	1	2	1	2
3	4	5	4	3
1	2	3	1	2

Lösung 126

1	2	1	2	3
3	5	3	4	5
2	1	2	1	2
3	5	4	5	4
4	2	1	3	1

Lösung 127

2	5	2	1	2
4	1	4	5	4
3	5	3	1	3
1	4	2	4	2
2	3	1	3	1

Lösung 128

2	3	2	1	2
4	1	5	4	5
3	2	3	1	3
1	4	5	4	2
2	3	1	3	1

Lösung 129

2	3	2	3	1
1	4	1	4	2
2	3	2	3	1
1	5	1	4	2
4	3	2	3	1

Lösung 130

1	3	1	3	2
2	4	2	4	1
1	5	1	3	2
3	4	2	4	5
2	1	3	1	2

Lösung 131

1	2	1	2	4
4	3	4	5	3
2	1	2	1	2
3	5	3	4	3
4	2	1	5	1

Lösung 132

2	1	4	3	1
4	3	2	5	2
2	1	4	1	3
4	3	5	2	5
5	1	4	3	1

Lösung 133

4	3	1	2	1
1	2	4	3	4
3	5	1	2	1
2	4	3	5	3
5	1	2	4	2

Lösung 134

1	4	2	5	3
2	3	1	4	1
1	5	2	3	2
4	3	1	4	5
2	5	2	3	1

Lösung 135

5	1	3	4	2
3	4	2	5	1
1	5	1	4	3
2	4	2	5	2
1	3	1	3	4

Lösung 136

2	4	1	3	1
1	3	2	4	2
2	5	1	5	1
3	4	3	4	2
2	1	2	1	3

Lösung 137

2	1	3	5	4
3	4	2	1	2
2	1	3	4	3
3	4	5	2	1
1	2	1	3	4

Lösung 138

4	5	2	3	1
2	3	1	5	2
1	4	2	4	3
5	3	1	5	1
1	4	2	3	4

Lösung 139

5	2	4	1	3
4	1	3	5	2
3	5	2	4	1
2	4	1	3	5
1	3	5	2	4

Lösung 140

3	1	2	1	3
2	4	5	4	2
1	3	2	3	1
2	4	1	4	2
1	3	2	3	1

Lösung 141

1	2	1	2	3
3	4	3	4	1
5	2	1	2	3
4	3	4	5	4
1	5	2	1	2

Lösung 142

1	3	2	4	2
2	4	1	3	1
1	3	5	2	5
4	2	4	1	4
5	1	3	2	3

Lösung 143

1	5	1	2	4
2	4	3	5	1
3	1	2	4	3
2	4	3	1	2
1	5	2	4	3

Lösung 144

4	5	1	2	3
1	2	3	4	5
3	4	5	1	2
5	1	2	3	4
2	3	4	5	1

Lösung 145

1	2	1	3	1
4	3	5	4	2
2	1	2	3	5
3	5	4	1	4
1	2	3	2	3

Lösung 146

4	2	1	2	1
3	5	3	4	3
1	2	1	2	1
3	4	3	4	3
2	1	2	1	2

Lösung 147

3	2	3	4	1
1	5	1	2	3
2	4	3	4	1
3	1	2	5	2
2	4	3	4	1

Lösung 148

1	3	1	2	3
5	2	4	5	1
4	1	3	2	4
3	5	4	5	1
1	2	1	2	3

Lösung 149

1	2	1	5	2
5	3	4	3	4
2	1	2	1	2
4	5	3	4	3
3	2	1	5	1

Lösung 150

1	2	1	2	1
3	4	3	4	3
2	1	2	1	2
5	3	5	4	3
1	4	1	2	1

Lösung 151

1	4	1	2	3
3	5	3	4	1
2	1	2	5	2
3	4	3	4	1
1	2	1	2	3

Lösung 152

3	2	1	2	3
4	5	3	5	1
2	1	2	4	3
3	4	3	5	2
1	2	1	4	1

Lösung 153

2	3	1	3	1
1	4	2	4	2
2	3	1	5	3
1	4	2	4	2
2	3	1	3	1

Lösung 154

3	2	1	2	1
1	4	3	4	5
2	5	2	1	3
3	1	3	4	2
4	2	5	1	3

Lösung 155

1	2	1	2	1
3	5	3	4	3
1	4	2	1	2
2	5	3	5	3
1	4	1	2	4

Lösung 156

1	5	1	2	1
3	2	3	4	3
1	4	1	2	1
2	3	5	4	5
5	4	2	1	2

Lösung 157

5	4	2	5	2
2	3	1	3	4
1	4	5	2	1
3	2	1	4	3
1	4	3	2	1

Lösung 158

2	5	1	4	1
1	3	2	3	2
2	4	5	1	5
1	3	2	3	2
2	4	1	4	1

Lösung 159

3	5	1	3	2
1	2	4	5	1
4	3	1	3	2
2	5	2	4	1
1	4	1	3	2

Lösung 160

3	1	2	5	2
2	4	3	4	3
3	1	5	1	2
5	2	3	4	5
1	4	1	2	1

Lösung 161

2	3	1	4	5
1	5	2	3	1
2	4	1	5	2
3	5	3	4	3
2	4	1	2	1

Lösung 162

2	3	1	5	4
1	4	2	3	1
2	3	1	4	2
1	4	2	3	1
2	3	1	5	2

Lösung 163

4	2	3	1	2
3	5	4	5	3
4	1	2	1	2
2	5	4	3	5
1	3	1	2	1

Lösung 164

1	3	1	4	3
2	4	2	5	1
5	1	3	4	2
3	4	2	1	3
2	1	5	4	2

Lösung 165

4	1	3	2	3
3	2	5	4	1
5	4	1	3	2
2	3	2	4	1
1	4	1	3	2

Lösung 166

1	4	2	3	1
2	3	1	4	2
1	4	5	3	1
2	3	2	4	2
1	5	1	3	1

Lösung 167

3	2	5	2	1
1	4	1	4	3
2	3	2	5	2
1	4	1	4	3
3	2	3	5	1

Lösung 168

1	2	5	2	1
3	4	1	4	3
1	2	3	2	1
3	4	5	4	3
2	1	2	1	5

Lösung 169

3	1	3	2	4
2	4	5	1	3
1	3	2	4	2
2	4	1	3	5
1	3	2	4	1

Lösung 170

3	2	1	2	3
1	4	3	4	1
3	2	1	5	2
1	4	3	4	3
5	2	5	1	2

Lösung 171

2	3	1	5	1
1	4	2	3	2
2	3	5	1	4
1	4	2	3	2
2	3	1	5	1

Lösung 172

3	1	3	1	2
2	4	2	5	4
1	3	1	3	1
2	5	2	5	2
4	3	1	4	1

Lösung 173

2	1	2	1	4
5	4	5	3	2
2	3	1	4	1
1	4	2	5	2
2	3	1	3	1

Lösung 174

2	4	2	3	1
1	3	1	4	2
5	2	5	3	1
1	3	1	4	2
2	4	2	3	1

Lösung 175

3	2	1	2	4
1	5	3	5	3
3	4	1	2	1
2	5	3	4	3
1	4	2	1	2

Lösung 176

2	3	2	3	1
1	5	1	4	2
3	4	2	3	1
1	5	1	4	2
2	3	2	5	1

Lösung 177

2	1	4	5	3
4	3	2	1	2
2	1	4	3	4
4	3	5	2	5
1	2	1	3	1

Lösung 178

2	1	2	3	4
4	3	4	5	2
1	2	1	3	1
4	3	5	2	4
5	2	1	3	1

Lösung 179

1	2	1	2	1
3	5	3	4	3
2	1	2	1	2
4	5	3	5	4
3	2	4	1	3

Lösung 180

1	4	2	3	1
3	5	1	4	2
1	4	2	3	1
2	3	5	4	2
1	4	2	1	3

Lösung 181

2	4	2	4	1
1	5	3	5	3
3	2	1	4	2
1	4	5	3	1
2	3	1	2	4

Lösung 182

1	3	2	1	3
2	4	5	4	5
3	1	3	2	1
2	4	5	4	3
1	3	2	1	2

Lösung 183

3	1	2	1	3
2	4	5	4	2
1	3	2	3	1
2	5	1	4	2
1	3	2	5	1

Lösung 184

1	2	4	2	1
3	5	3	5	4
1	2	1	2	1
5	3	4	3	5
4	2	1	2	1

Lösung 185

1	5	2	4	1
4	3	1	3	2
5	2	5	4	1
1	4	3	2	3
3	2	5	4	1

Lösung 186

1	2	1	2	3
4	5	3	4	5
1	2	1	2	1
4	3	5	4	3
1	2	1	2	1

Lösung 187

3	2	1	2	3
4	5	3	5	1
1	2	1	2	4
4	3	4	3	1
2	1	5	2	4

Lösung 188

1	4	1	2	3
2	3	5	4	1
1	4	2	3	2
2	3	1	4	1
1	5	2	3	2

Lösung 189

3	1	2	1	2
2	4	3	5	4
3	1	2	1	2
4	5	3	4	3
1	2	1	2	1

Lösung 190

2	3	2	4	3
1	4	1	5	1
3	2	3	2	4
1	5	4	5	3
2	3	1	2	1

Lösung 191

1	5	2	3	2
2	3	1	4	1
1	4	2	5	3
2	3	1	4	1
1	4	2	3	2

Lösung 192

1	5	2	1	2
3	4	3	5	4
2	5	1	2	3
3	4	3	4	1
1	2	1	2	5

Lösung 193

5	2	4	1	3
4	1	3	5	2
3	5	2	4	1
2	4	1	3	5
1	3	5	2	4

Lösung 194

3	4	1	3	1
1	5	2	5	2
2	3	4	1	3
4	1	2	5	4
2	5	4	1	3

Lösung 195

2	1	3	2	3
3	4	5	4	1
2	1	2	3	2
3	5	4	5	1
1	2	1	3	4

Lösung 196

1	2	3	2	1
5	4	1	4	5
1	3	2	3	1
2	4	1	5	2
1	3	2	3	4

Lösung 197

4	3	2	3	2
2	5	1	5	4
1	4	3	2	1
3	2	1	4	5
1	4	3	2	1

Lösung 198

2	3	2	3	1
1	4	1	5	2
3	5	2	4	1
1	4	1	3	2
2	3	2	4	1

Lösung 199

2	5	1	2	1
3	4	3	4	3
5	1	2	1	2
4	3	4	3	4
1	2	1	2	1

Lösung 200

2	1	2	5	2
3	4	3	1	3
2	1	2	4	5
5	4	5	3	1
1	3	1	2	4

Made in the USA
Monee, IL
04 November 2026

67386112R00059